POMPEJI
D0121328

POMPEJI

TEKST ANTONIO VARONE
FOTO'S ERICH LESSING

ATRIUM / TERRAIL

Omslagillustraties

Paquius Proculus en zijn vrouw

Fresco in de vierde stijl.
65 x 58 cm.
Huis VII, 2, 6, Pompeji.
Napels, Museo Archeologico Nazionale.

Door architectuur gedomineerd landschap met villa

Fresco in de derde stijl.
22 x 53 cm.
Pompeji.
Napels, Museo Archeologico Nazionale.

Vorige bladzijde

Geschilderde architectuur met landschap

Fresco in de vroege derde stijl.
197 x 194 cm.
Omgeving van Herculaneum.
Napels, Museo Archeologico Nazionale.

Rechterbladzijde

Duiven

Mozaïek in de tweede stijl.
113 x 113 cm.
Huis van het Duivenmozaïek, Pompeji.

Een oorspronkelijke uitgave uit 1995 van Éditions Pierre Terrail
Parijs

Tekstverzorging: *de Redactie*, Amsterdam
Vertaling: Maartje de Kort
Bewerking: Theo Scholten

Pompeji is een uitgave van ATRIUM in opdracht van Coöp. Inkoop Coöperatie Boeken U.A., Alphen aan den Rijn

ISBN 90 6113 792 6
NUGI 921

INHOUDSOPGAVE

Venus trekt haar sandaal uit
Opus sectile (polychroom inlegwerk van marmer).
1ste eeuw n.C.
29 x 24 cm.
Triclinium van het huis I, 12, 10, Pompeji.
Napels, Museo Archeologico Nazionale.

EEN STREEK, EEN VULKAAN

Bacchus en de Vesuvius
Fresco in de vierde stijl.
140 x 101 cm.
Peristylium van het huis van het Eeuwfeest, Pompeji.
Napels, Museo Archeologico Nazionale.

Bacchus is afgebeeld als een gigantische druiventros en met zijn gebruikelijke attributen: de thyrsus – een met klimop omwonden staf – en de panter. Achter hem is de Vesuvius te zien, waarvan de groene wijngaarden een van Pompeji's grootste rijkdommen vormden. Op de voorgrond is een slang afgebeeld, symbool voor de vruchtbaarheid van de aarde.

Aan de voet van de Vesuvius leek de ochtend van de 24ste augustus van het jaar 79 van onze jaartelling een ochtend als alle andere. In deze vruchtbare, dichtbevolkte streek woonde men in grote nederzettingen of op boerderijen en pachthoeven. Het landschap werd bepaald door akkers, die een overvloed aan gewassen voortbrachten. Langs de kust stonden luxueuze villa's van Romeinse aristocraten.

Niets wees op het naderende onheil. In Pompeji waren de mannen vroeg in de ochtend aan hun dagelijkse bezigheden begonnen, en in de huizen sudderde boven de gloeiende houtskool in de stookplaats al het avondmaal van die dag. In de ovens van de bakkerijen waren net de ronde, in acht segmenten verdeelde broden gaar, en op de boerderijen rondom de stad stapelde men de amfora's en de kruiken op waarin het geoogste fruit zou worden opgeslagen.

Vanuit de voorhof van de Venus-tempel waren in de verte de schepen te zien die de lichte zomerbries benutten om met hun kostbare ladingen uit het gehelleniseerde Egypte de tussenhaven bij de monding van de Sarno, de rivier die het dal aan de voet van de Vesuvius zo vruchtbaar en groen maakte, binnen te lopen. Het was even na het middaguur en de zomerhitte deed zich voelen. De Pompejanen stonden op het punt hun bezigheden te staken om iets te gaan eten in een van de vele *thermopo-*

Rechterbladzijde

Bacchus

Fresco in de vierde stijl.
81 x 67 cm.
Huis van het Schip,
Pompeji.
Napels, Museo Archeologico Nazionale.

Onder

Bacchus en de Vesuvius

Detail.

lia[1], de snackbars van die tijd, alvorens met een bad in de thermen de vermoeienissen van de ochtend van zich af te spoelen. Plotseling trok een machtig gegrom ieders blik naar de Vesuvius, de zo vertrouwde berg die achter de zuilenrijen van het forum en de tempel van Jupiter Capitolinus oprees en sinds het ontstaan van de stad het decor vormde van het Pompejaanse leven.

Deze keer waren de ogen niet gericht op de wijngaarden, die bijna tot aan de kraterrand doorliepen en de druiven leverden voor de vermaarde *vesuvinum*. De Vesuvius, die in het huis van het Eeuwfeest was afgebeeld naast een vriendelijke, allegorische Bacchus in de gedaante van een grote druiventros, toonde de ongelovige inwoners van de stad zijn ware aard: hij was een vulkaan, en hij stond op het punt zijn vernietigende werk te doen.

DE WOEDE VAN DE VESUVIUS

De Vesuvius, die zich jarenlang niet had geroerd, wierp nu met een ongekende heftigheid een enorme hoeveelheid vulkanische materie de lucht in, tot een hoogte van ruim 20.000 m en al snel zelfs 30.000 m. Tegen de hemel dijde de zwarte wolk uit. Zij nam de vorm aan van een parasol-den, verduisterde alles en veranderde de dag in een nacht. De schokken die door de grond trokken deden de huizen golven en de zee wijken. Een moment later zagen de verbijsterde Pompejanen een verschrikkelijke regen van *lapilli*[1] naar beneden komen, die door de wind hun richting op werden gedreven. Twaalf uur later hadden deze de daken doen instorten, waren ze de huizen binnengedrongen en lagen ze in een bijna 3 m dikke laag over alles heen.

In de nacht van de 25ste, tegen één uur, nam de druk van de vulkanische gassen ineens af en werd de materie niet langer de lucht in gesmeten. In de zeven uren die volgden, braakte de vulkaan golven gesmolten steen uit en *surges*, gloeiende wolken van heel fijne asdeeltjes, die met een snelheid van 200 tot 900 km per uur op de vlakte neerdaalden en planten verkoolden en mensen overvielen met een verstikkende, dodelijke omhelzing. De wolk die Pompeji het ernstigst trof, vooral wat mensenlevens betreft, daalde tegen zes uur in de ochtend neer op de stad. Na de instorting van de kraterwanden kwam boven op de laag lapil-

1 Zie de verklarende woordenlijst achter in het boek.

li die de stad al bedekte een deken van as te liggen, die uithardde tot een compacte, 50 tot 150 cm dikke laag tufsteen. In de dagen die volgden, tijdens de laatste fase van de uitbarsting, werd het geheel nog eens bedolven onder een circa 50 cm dikke laag puimsteen. Een 5 m dikke laag vulkanisch materiaal bedekte nu de stad en het omringende gebied.

Bij de instorting van de vulkaankegel kwam er een stroom magma en gloeiende lava vrij, die door spleten in de kraterwand over de flank van de berg in de richting van de nabijgelegen stad Herculaneum golfde. Die stad werd in een oogwenk overspoeld door een rivier van modder. Het puin vormde daar een laag van wel 12 m dik, vlak bij zee zelfs 22 m. De laag vloeide langzaam uit, totdat de stad volledig bedekt was door een dikke massa, die verhardde tot tuf. De vulkanische materie die hun ondergang werd, heeft deze twee verwoeste steden vervolgens zo goed geconserveerd dat ze tot in deze tijd intact zijn gebleven.

Gezicht op de haven

Fresco in de vierde stijl.
24 x 26 cm.
Stabiae.
Napels, Museo Archeologico Nazionale.

BEELDEN VAN DE DOOD

De Pompejanen reageerden in hun verbijstering en ontreddering op verschillende manieren op de woedende natuurkrachten. Een aantal van hen zocht bij de eerste tekenen van de ramp binnenshuis of in de kelder een plek om te schuilen voor de stortbui van stenen. Zo stierven velen onder hun eigen dak, dat instortte onder het gewicht van de lapilli of door de bevingen van de aarde. In de huizen zijn talloze skeletten gevonden, uitgestrekt op de grond, bedolven door het puin, zoals onlangs nog in het huis van Julius Polybius. Enkele jaren geleden heeft men een bakkerij blootgelegd (reg. IX, 12, 6)[2] waarin, in de hoek van een vertrek, de skeletten lagen van de muilezels die werden gebruikt om de korenmolens aan te drijven. De zware balken van een vliering hadden het begeven en waren boven op de ongelukkige dieren neergekomen. Ze hadden uit de stal weten te ontsnappen, maar niet uit de woning, die de mensen tijdens hun overhaaste vertrek – en ongetwijfeld in de veronderstelling te zullen terugkeren – hadden afgesloten. In het beroemde huis van

2 De 19de-eeuwse archeologen hebben Pompeji verdeeld in negen wijken of regio's. Elk daarvan omvat een aantal genummerde *insulae*, huizenblokken. De huizen in die blokken zijn ook weer genummerd. De aanduiding IX, 12, 6 wil dus zeggen dat de bakkerij zich bevindt op nummer 6 van blok 12 in regio IX.

Zeeslag

Detail.
Fresco in de vierde stijl.
18,5 x 57 cm.
Isis-tempel, Pompeji.
Napels, Museo Archeologico Nazionale.

Paquius Proculus is het hondje gevonden waarvoor bezoekers door een mozaïek bij de voordeur werden gewaarschuwd. Het lag opgerold onder een bed in het kamertje rechts van de ingang, dat gewoonlijk gereserveerd was voor de *atriensis*, de huisbewaarder. Kennelijk heeft het dier instinctief een schuilplaats gezocht, die hem niettemin fataal is geworden.

Herculaneum werd pas in tweede instantie getroffen door de uitbarsting, zodat de bewoners van die stad meer tijd hadden en dus een grotere kans om te ontkomen. Degenen die hun toevlucht tot de zee namen, waren echter kansloos. Reusachtige vloedgolven, waarbij het water zich steeds terugtrok om zich vervolgens met donderend geweld op de kust te storten, maakten het de schepen onmogelijk de volle zee bereiken. Op de vroegere kuststrook heeft men een omgeslagen boot gevonden, en ook vele skeletten van mensen die in hun wanhoop waren gevlucht onder de arcaden. Zij zaten gevangen tussen de kolkende zee en de moddermassa die onverbiddelijk hun kant op kwam.

Veel Pompejanen vluchtten de stad uit, soms met hun kostbaarste spullen of die waaraan ze het meest waren gehecht. Zij waren de geluksvogels: na een urenlange tocht konden ze zich in veiligheid brengen op de hellingen van de naburige Montes Latarii.

Maar er waren er ook veel die in Pompeji bleven, waar ze in de duisternis en op de tast ronddoolden over de laag stenen, die inmiddels tot aan de daken van de lage huizen reikte. In de loop van die eindeloze nacht voegden zich bij hen degenen die waren teruggekeerd naar de stad in de veronderstelling dat het einde van de lapilli-regen ook het einde van de ramp betekende. Zij hadden geen schijn van kans: de brandende, alles verzengende wolk van giftige gassen van de *surges* overviel hen, sneed de adem af, verbrandde de longen en doodde op slag.

Op hun lichamen daalde gloeiende as neer, die hen omsloot als een soepele handschoen en zich vormde naar hun huid, hun kleding, hun gelaatstrekken en zelfs hun gezichtsuitdrukking. De afgekoelde en gestolde as vormde al snel een compacte, stevige massa, waarin de vorm bewaard bleef van de lichamen, die het normale ontbindingsproces van organische stoffen doormaakten en waaraan in de tuflaag al gauw niets anders meer herinnerde dan holle ruimten.

De Bourbons organiseerden de eerste officiële opgravingen in

de omgeving van de Vesuvius. In het museum dat in de 18de eeuw op hun instigatie in Portici, een voorstad van Napels, werd geopend, werd in een vitrine een stuk tufsteen geëxposeerd dat een afgietsel leek van de borst van een jong meisje. Deze borst inspireerde de 19de-eeuwse Franse schrijver Théophile Gautier tot het schrijven van de novelle *Arria Marcella*.

De archeoloog Giuseppe Fiorelli ontwikkelde in de tweede helft van de 19de eeuw een wetenschappelijke aanpak voor de opgravingen in Pompeji. Hij kwam op het idee een gipsmengsel te gieten in de holten die men aantrof. Zo kreeg men als bij toverslag de onthutste gezichten te zien van de slachtoffers van de uitbarsting, de paniek van de hond die vastzat aan zijn ketting en zich vergeefs probeerde te ontrukken aan zijn wrede lot, de lichamen van degenen die wilden vluchten, mannen, vrouwen en kinderen, die allemaal wanhopig zochten naar een uitweg en met hun handen voor hun mond werden gegrepen door de dood.

In Oplontum, een voorstad van Pompeji, is recentelijk een harsafgietsel gemaakt van een vrouw die haar sieraden en een tasje met geldstukken, ringen en edelstenen bij zich had. Ten zuidoosten van de stad zijn, eveneens onlangs, gipsafgietsels gemaakt van andere slachtoffers van de ramp: een man die met

Uitbarsting van de Vesuvius

Detail.
Olieverf op doek, door Pierre-Jacques Volair (1729-1802).
Richmond, Virginia Museum of Fine Arts.

zijn lichaam een zwangere vrouw lijkt te willen beschermen. Een paar jaar geleden, tijdens de opgravingen in de *insula occidentalis*, kwam een aangrijpend tafereel te voorschijn: een moeder die haar armen uitstrekt om het kind aan te pakken dat de vader haar probeerde aan te reiken voordat hij levenloos neerviel. Maar niets drukt de tragiek van de eruptie intenser uit dan de holten in de versteende as die zijn gevormd door de verbrijzelde lichaampjes van kleine kinderen.

HET VERSLAG VAN PLINIUS

De schrijver Plinius de Jongere was een bijzondere getuige van de gebeurtenissen die de totale verwoesting van een van de beroemdste streken van Campanië tot gevolg hadden: in twee bewaard gebleven brieven aan de geschiedschrijver Tacitus gaf hij een nauwkeurig en aangrijpend verslag van de verschijnselen die met de uitbarsting gepaard gingen en erop volgden. Plinius was in Misenum, bij zijn oom Plinius de Oudere, die daar commandant was van de basis van de pretoriaanse vloot op de Tyrrheense Zee. Hij beschreef in detail de verschillende fasen van de uitbarsting, de paniek van de bewoners, die wanhopig probeerden te ontkomen aan de verschrikking, en de dood van zijn oom, die meteen scheep was gegaan om met de nieuwsgierigheid van een wetenschapsman het verschijnsel van dichtbij te gaan bekijken, maar al snel de ernst van de situatie had ingezien en had besloten degenen die in de zee hun enige redmiddel zagen te hulp te schieten. Zijn pogingen waren echter vruchteloos: door de huizenhoge vloedgolven lukte het hem niet af te meren bij Herculaneum. Hij week uit naar Stabiae, waar hij binnen de kortste keren stierf door de gassen en dampen die de Vesuvius uitstootte.

Toen de blinde woede van de natuur was weggeëbd, was een streek die in de Oudheid bekend stond om zijn milde klimaat, afwisselende landschap, vruchtbare akkers en de grote activiteit van zijn bewoners, onherkenbaar veranderd. Hele steden waren verzwolgen, wegen waren verdwenen, velden waren onvruchtbaar geworden: degenen die aan de catastrofe waren ontsnapt, zagen een volstrekt desolaat gebied terug.

OOG IN OOG MET DE OUDHEID

De straten van Pompeji

De straten van Pompeji waren geplaveid met basalttegels en hadden hoge stoepen. Ze waren niet allemaal voorzien van afwatering, waardoor ze bij regen onbegaanbaar werden. Grote blokken lavasteen midden op de weg maakten het voetgangers echter mogelijk zonder natte voeten over te steken. Ze vormden geen belemmering voor het verkeer, zoals te zien is aan de karresporen aan weerszijden ervan.
Sommige straten waren al in de 2de eeuw v.C. verhard. Andere werden in de koloniale tijd, in elk geval voor de tijd van Caesar, geplaveid met grote basalttegels. Sommige wegen bleven onverhard.

Het nieuws over de omvang van de ramp waarmee de natuur een gebied had getroffen dat men in de Oudheid *felix* noemde, 'gelukkig', schokte de Romeinse wereld. De dichter Martialis, een vriend van Plinius de Jongere, wijdde aan het tragische lot van de streek rondom de Vesuvius een van heftige ontroering getuigende klaagzang, waarmee hij de algehele verbijstering onder woorden bracht: 'Zie de Vesuvius, die gisteren nog groen was en overschaduwd door wijngaarden, waar vroeger stromen kostelijke wijn ontsprongen, zie de berg waaraan Bacchus zelfs de voorkeur gaf boven de hellingen van Nysa en waar de saters hun dansen uitvoerden. Dit was Pompeji, de heilige stad van Venus, die haar liever was dan Sparta zelf, en hier stond Herculaneum, waarvan de naam een eerbetoon was aan de held. Alles rust nu, verdronken in vlammen en lugubere as. De goden zelf moeten nu wensen dat ze niet de macht hadden gehad zoiets te laten geschieden.'

In Herculaneum, dat volledig bedekt was met modder, die bovendien al hard begon te worden, was iedere poging vergeefs, maar in Pompeji was men druk in de weer om te redden wat er nog te redden viel. Men ging de huizen binnen via de daken die nog terug te vinden waren onder de laag stof en lapilli. Keizer Titus stelde *curatores* aan, die de ruïnes moesten beschermen tegen plunderaars. Het is ongetwijfeld aan hen te danken dat een

Via del Lupanare
Pompeji.

Volgende bladzijden
Oversteekplaats
waar voetgangers bij regen konden oversteken zonder door het water te hoeven waden. Pompeji.

groot aantal van de bronzen en marmeren beelden die het forum en andere openbare ruimten hadden gesierd in veiligheid kon worden gebracht. Maar al gauw bleek dat de risico's groot en de kosten zeer hoog waren, en men besloot de onderneming te staken. Toen daalde er een diepe stilte neer over de stad en zijn omgeving. In de eeuwen erna waagde zich maar zelden iemand in dit door de uitbarsting verwoeste gebied.

Luttele jaren na de verwoestende vulkaanuitbarsting verwoordde de dichter Statius reeds de emoties van degenen die in de moderne tijd de archeologische vindplaats zouden blootleggen. Ongelovig vroeg hij zich af: 'Zal een volgende generatie mensen, wanneer hier weer wordt geoogst en wanneer deze woestenij weer bloeit, geloven dat onder haar voeten hele steden met bevolking en al begraven liggen en dat het land van haar voorouders zo ten onder is gegaan?'

En inderdaad, toen de stad na eeuwen van vergetelheid werd herontdekt en de grondwerkers tijdens hun graafwerkzaamheden stuitten op straten, huizen en tempels, op pleinen omzoomd met zuilengangen en op winkels en openbare gebouwen, konden ze hun ogen niet geloven. Dank zij de lapilli die er al het leven aan hadden ontnomen, was Pompeji wonderbaarlijk goed bewaard gebleven,

DE ONTDEKKING VAN POMPEJI

Goethe behoorde tot degenen die zich in de 18de eeuw ter plaatse vervoegden om zich op de hoogte te stellen van de opgravingen, die nu in opdracht van de Bourbons systematisch werden aangepakt. Hij was enigszins teleurgesteld, maar wist de ontdekking – en alles wat Pompeji kon toevoegen aan de bestaande kennis van de Oudheid – wel onmiddellijk naar waarde te schatten. Net als alle andere intellectuelen uit zijn tijd ontleende hij zijn beeld van de Oudheid aan de schitterende bladzijden die de Romeinse geschiedschrijvers uit de klassieke tijd hadden gewijd aan het keizerlijke Rome en aan de nog van hun vroegere luister getuigende resten van zuilen en triomfbogen, amfitheaters en keizerlijke paleizen. Op deze verheven, welsprekende media was zijn diepe bewondering voor die cultuur gebaseerd.

Toen hij daar stond, tussen die opgestapelde stenen die met moeite door wat specie op hun plaats werden gehouden, tussen

Boven

Thermopolium

Taveerne. 1ste eeuw n.C.
Pompeji.

In Pompeji zijn maar liefst 89 *thermopolia* te vinden, een soort bars waaraan men warme dranken tot zich nam (voornamelijk wijn aangelengd met water). Men kon er ook iets kleins te eten krijgen. In de gemetselde, met stukken marmer beklede toonbanken zijn de vaten te zien waarin men de levensmiddelen bewaarde.

Rechterbladzijde

Deur, gezien vanuit een thermopolium

1ste eeuw n.C.
Herculaneum.

Boven

Fontein: een ontmoetingsplaats

Kalksteen. 1ste eeuw n.C.
Pompeji.

Boven
Straat
Herculaneum.

Triomfboog van Tiberius

1ste eeuw n.C.
Via di Mercurio, Pompeji.

die vaak krappe woninkjes en tussen al die doodgewone gebruiksvoorwerpen, kostte het de dichter moeite de echo's te herkennen van de grandeur van Rome die altijd zo tot zijn verbeelding had gesproken. In zijn bekende reisdagboek *Italienische Reise* had hij het op 11 maart 1787 over 'poppenhuizen' en 'maquettes'. Deze overblijfselen waren niet doortrokken van het 'klassieke' en universele van de Oudheid die zijn idealen had gevoed. Maar iemand als Goethe besefte natuurlijk wel wat voor volstrekt nieuwe gezichtspunten hier aan de bestaande kennis werden toegevoegd: hier waren gebouwen, ontmoetingsplaatsen en huizen te zien waarvan de stenen en de muren waren bezield door de mensen die in die tijd hadden geleefd, door hun tastbare aanwezigheid en materiële bestaan. Twee dagen later schreef hij in zijn dagboek een kernachtige, ogenschijnlijk cynische zin op, waarmee hij de essentie aangaf van het offer dat de Vesuvius-stad heeft moeten brengen: 'Van alle catastrofes die de wereld hebben getroffen, zijn er maar weinig zo profijtelijk geweest voor latere generaties.'

Tijdens de opgravingen, die langzaam vorderden en steeds omvangrijker werden, werd niet zomaar een monument blootgelegd, een ruïne of een graf, maar een hele stedelijke context, die op een zeker moment bruusk en definitief was bevroren en zich nu in heel zijn complexiteit openbaarde aan de moderne wereld. Het was de Oudheid zelf die zich hier aan de moderne mens toonde, om hem alle nuances en facetten van het leven uit die tijd te onthullen, tot in de kleinste, intiemste en geheimste details. Van onder het puin kwamen de voorkeuren en de gebruiken van een verdwenen maatschappij te voorschijn.

Boven

Forum

Detail.
1ste eeuw n.C.
Pompeji.

Te zien zijn de sokkels waarop de beelden van illustere Pompejanen werden geplaatst.

Rechterbladzijde

Forumtafereel

Fresco. Midden van de 1ste eeuw n.C.
64 x 48 cm.
Huis van Julia Felix, Pompeji.
Napels, Museo Archeologico Nazionale.

Deze schildering toont de ruiterstandbeelden bij de zuilengangen op het forum.

HET ONTSTAAN VAN EEN STAD

Op het moment dat de uitbarsting in het jaar 79 een einde maakte aan het bestaan van Pompeji, had de stad al een geschiedenis achter zich die – voor zover wij weten – teruggaat tot het einde van de 7de eeuw v.C.

Apollo

Brons. 1ste eeuw n.C.
Apollo-tempel, Pompeji.
Het origineel bevindt zich in het museum in Napels.

Het beeld vertoont stilistische elementen uit de Griekse kunst, maar door de harmonieuze vormen en de natuurlijkheid van de beweging is het typisch Italisch.

De lokatie die voor de stad werd gekozen, was een heuveltje dat was ontstaan bij een uitbarsting van de Vesuvius in prehistorische tijden, vlak bij de plaats waar de Sarno zich, alvorens uit te monden in de zee, verbreedde tot een soort lagune, die een ideale haven vormde voor grote schepen. Aan deze lokatie waren echter ook nadelen verbonden. Vooral de drinkwatervoorziening was een probleem en men was genoodzaakt diepe putten te graven. Het is uitgesloten dat Pompeji op 'natuurlijke' wijze is ontstaan, als een allengs groter wordende nederzetting op een knooppunt van wegen. Zo'n betrekkelijk hoog gelegen punt aan de rand van een uitgestrekte vlakte is immers geen logische plaats voor een kruising van belangrijke, doorgaande wegen, die er eerder in een boog omheen zullen zijn gegaan. De lokatie was vooral strategisch van belang: vanaf dit hoge punt had men niet alleen overzicht over de haven bij de monding van de Sarno, maar ook over de hele kust.

DE OPICIËRS

Tijdens de opgravingen is men in het dal van de Sarno op verschillende necropolen en tal van dorpen uit de prehistorie of de direct daarop volgende periode gestuit. Ze liggen allemaal in de buurt van de rivier, zoals bijvoorbeeld het dorp uit de Bronstijd dat niet zo lang geleden vlak bij de monding, in San Abbondio, in het huidige Pompeji, is gevonden, of het dorp Sarno, dat bij een van de bronnen van de rivier ligt, of de dorpen die tussen de 9de en de 6de eeuw v.C. her en der in het dal lagen en waarvan resten zijn gevonden bij de huidige plaatsen Striano, San Marzano en San Valentino Torio.

Het Sarno-dal werd aan het einde van de prehistorie bewoond door de Opiciërs, die zich voornamelijk bezighielden met landbouw. Ze lijken aanvankelijk erg honkvast te zijn geweest en weinig sociale hiërarchie te hebben gekend. Maar onder invloed van culturele elementen van buitenaf – vooral van de handel met de Griekse kolonie Cumae, die halverwege de 8ste eeuw v.C. was gesticht – begon deze maatschappij zich gaandeweg op te delen in klassen. Niettemin bleef zij bestaan uit vele kleine gemeenschappen, die elk beschikten over een bepaald deel van het dal. De rijksten pronkten graag met de herkenningstekenen van hun maatschappelijke rang en economische welstand, zoals blijkt uit hun graven en de inhoud daarvan.

Deze situatie werd plotseling ingrijpend gewijzigd door een totaal nieuw, welhaast revolutionair element: de vorming van een stad.

Boven

Tufstenen zuilen

Eind 2de eeuw v.C.
Forum, Pompeji.

Aan de zuidoostelijke zijde van het forum staan nog de van grijs tufsteen uit Nuceria vervaardigde zuilen van de eerste zuilengang die de quaestor Vibius Popidius aan het eind van de Samnitische tijd liet bouwen.

Rechterbladzijde

Zuilen op het forum

Detail.

DE ETRUSKEN, DE GRIEKEN EN DE VORMING VAN DE STAD

Aan het besluit Pompeji te bouwen op een tamelijk hoog punt langs de steile kust, kunnen alleen strategische overwegingen ten grondslag hebben gelegen. Het bood de mogelijkheid een oogje houden op de monding van de Sarno, de belangrijkste toegang tot het vruchtbare dal. Overigens werd Pompeji een tijdlang beschermd door een ommuring die de hele heuvel omgaf. De stad zelf besloeg aanvankelijk maar een fractie van zijn uiteindelijke oppervlakte, namelijk het huidige forum en zijn directe omgeving en het terras ten zuidoosten ervan.

De stichting van de stad heeft waarschijnlijk te maken met het

binnendringen van de Etrusken in zuidelijk Campanië. Dit volk, dat Rome stichtte en beschikte over waardevolle grondstoffen zoals het in die tijd zeer gewilde ijzer, had zijn economische macht zien groeien en dank zij de handel met de Griekse wereld een grote culturele ontwikkeling doorgemaakt. De machtige en welvarende koloniën die de Grieken langs de kust van onder andere Campanië hadden gesticht om hun handelsroutes te onderhouden en te beschermen, vormden echter een obstakel voor de Etruskische expansie in zuidelijke richting.

De Etrusken kenden een bij uitstek stedelijke beschaving. Het lijkt erop dat ze steun hebben gezocht bij de plaatselijke bevolking, om zo versterkte kernen met een duidelijk strategisch doel te kunnen vormen. Deze veronderstelling wordt gestaafd door het feit dat op de Sarno-vlakte vrijwel gelijktijdig twee steden ontstonden: Pompeji, van waaruit de scheepvaart op zee en op de rivier kon worden gecontroleerd, en Nuceria, dat aan het andere einde van het dal ligt, in de engte die de uitlopers van de Apennijnen scheidt van de Montes Latarii, en van waaruit men een oogje kon houden op de verbindingswegen over land tussen zuidelijk Campanië en het diepe zuiden. Deze twee steden zouden in de daarop volgende eeuwen nauw met elkaar verbonden blijven.

Tijdens deze eerste fase werden in Pompeji twee heiligdommen gebouwd, die in de Oudheid belangrijke trekpleisters vormden. Het eerste was gewijd aan Apollo en verrees in de buurt van de open markt- en ontmoetingsplaats in het midden van de stad die later het forum zou worden. Het tweede, een Dorische tempel, werd gebouwd op het zuidelijke terras, dat rechtstreeks uitkijkt op de zee. Dit terras ligt boven op een rotspunt en de tempel is vanuit zee al van ver te zien. Daardoor was het bouwwerk tegelijkertijd een waardevol baken voor de kustvaart. Uit bepaalde elementen, zoals de wijding van de ene tempel aan Apollo en de Dorische zuilen van de andere, valt af te leiden hoe belangrijk de Griekse bijdrage aan de Etruskische cultuur is geweest. Stratigrafische analyses in de Apollo-tempel hebben uitgewezen dat deze behalve uit Griekenland afkomstige voorwerpen ook een aanzienlijke hoeveelheid *bucchero* bevatte, het zwarte aardewerk dat karakteristiek is voor de Etruskische beschaving. Sommige van die voorwerpen droegen in het Etruskisch gestelde inscripties, wat erop wijst dat de Etrusken ook echt in deze stad leefden, evenals trouwens op het Sorrentijns schiereiland en in de rest

Boven

Voetstuk

1ste eeuw n.C.
Forum, Pompeji.

Detail van de marmeren stèle waarop het beeld stond van Quintus Sallustius, magistraat met de ambten van rechter en censor, die ook 'patroon van de kolonie' was: hij verdedigde aan het Romeinse hof de belangen van Pompeji.

Rechter- en volgende bladzijden

Zuilengang van het forum met travertijnen zuilen

Eind 1ste eeuw v.C.
Pompeji.

In de tijd van Augustus werd een aantal van de tufstenen zuilen uit het einde van de 2de eeuw v.C. vervangen door travertijnen zuilen – onder Dorische, daarboven Ionische.

van het Sarno-dal, tot aan Nuceria. Van de complexiteit van de sociale en etnische structuur in het zuidelijk Campanië van die tijd getuigen twee in Nuceria en Vico Equense gevonden incripties in een alfabet dat eigen is aan die streek, maar waarvan ook voorbeelden zijn gevonden in Midden-Italië. Deze inscripties geven waardevolle informatie over de autochtone Italische bevolking van het Sarno-dal, die in de oudste historiografische bronnen al wordt aangeduid met de naam Opici.

Boven en rechterbladzijde

Fragmenten van de architraaf van een zuilengang

1ste eeuw v.C.
Forum, Pompeji.

De architraaf van de zuilengang, die in de tijd van Augustus werd herbouwd in travertijn, ondersteunde een tweede rij zuilen en de vloer van een verhoogde wandelgang van waaruit men uitkeek over het plein.

DE KOMST VAN DE SAMNIETEN

Na de tweede slag om Cumae in 474 v.C. vormden de Griekse steden een coalitie. Tegen het einde van de 5de eeuw v.C. volgden invasies van Samnitische stammen uit het Apennijnse bergland. Deze omstandigheden betekenden het definitieve einde van de Etruskische macht, waarna de streek ingrijpende wijzigingen onderging.

De Samnieten maakten zich meester van het gebied dat de Grieken uit de kuststrook, die inmiddels de onbetwiste heersers waren van Campanië en enigszins op hun lauweren rustten sinds ze het Etruskische gevaar hadden bedwongen, niet hadden willen of kunnen bezetten. Zo werd Pompeji een Oskische stad, die volgens de Samnitische politieke traditie deel uitmaakte van een confederatie van steden. Nuceria was de hoofdstad van deze confederatie, waarvan ook Herculaneum, Sorrento en Stabiae deel uitmaakten.

Herculaneum werd vermoedelijk in de Samnitische tijd gesticht: een bescheiden citadel op een uit zee oprijzende rotsachtige kaap tussen twee rivieren aan de voet van de Vesuvius. Tot op heden zijn bij de opgravingen hier nog geen resten van voor de 4de eeuw v.C. gevonden, hoewel bronnen uit de Oudheid willen dat de stad lang voordien al bestond en zou zijn gesticht door Hercules. Vervolgens zouden onder andere de Opiciërs, de Etrusken en de Samnieten er de scepter hebben gezwaaid. Het opgegraven deel beslaat maar een klein stuk van de stad: krap 5 ha.

Pompeji begon zich in de Samnitische tijd uit te breiden. Ten oosten van de Via Stabiana werden bijna vierkante huizenblokken gebouwd. In de latere Romeinse stad zou deze weg doorlopen tot de Porta Vesuvio en de belangrijkste noord-zuid-as vormen, de *cardo*. De stad breidde zich verder vooral uit in noordelijke richting, met de buurt die nu regio VI wordt genoemd en die oorspronkelijk, ondanks intensieve activiteit, buiten de stadskern viel. Daar bouwden vooraanstaande Samnieten hun woonwijk: lange, smalle rechthoekige blokken aan weerszijden van de Via di Mercurio, die de Via del Foro in noordelijke richting verlengde. Hun huizen bleven in de loop van de tijd, tot de verwoesting van de stad in 79 n.C., bewaard en ondergingen nauwelijks structurele of uiterlijke veranderingen.

Nieuwe, degelijker versterkingen werden gebouwd. In plaats van het plaatselijke lavasteen met tufstructuur waaruit de eerste ommuring was opgetrokken, gebruikte men nu het hardere kalksteen van de uitlopers van de Apennijnen bij de bronnen van de Sarno. De muren zouden later, waarschijnlijk naar aanleiding van Hannibals expeditie aan het einde van de 3de eeuw v.C., worden versterkt en verfraaid met een reeks robuuste torens, die netjes in het gelid en op regelmatige afstand van elkaar werden geplaatst en wit werden gekalkt. Deze torens, die een nog beter zicht op de vlakte boden, werden het symbool van de macht van de stad.

HANNIBAL IN CAMPANIË

Door de invallen en plundertochten van het leger van Hannibal, een van de grootste veldheren uit de Oudheid, kwam het hele Sarno-dal zwaar gehavend uit de Tweede Punische Oorlog. De Carthagers belegerden en verwoestten Nuceria, de hoofdstad van de Oskische confederatie in Zuid-Campanië, die na de Samnitische oorlogen een trouwe bondgenoot was geworden van Rome. Veel Nucerianen vonden onderdak in naburige steden, met name in Atella, waar ze de wederopbouw van hun stad afwachtten.

Pompeji breidde zich na deze oorlog verder uit naar het oosten. Langs de twee grote *decumani*, de oost-west-assen Via di Nola in het noorden en Via dell'Abbondanza in het zuiden, verrezen nieuwe, rechthoekige woonblokken. De laatste werd hiermee een stuk langer en het bewoonde deel van de stad liep nu door tot aan de stadsgrens en de versterkingen. De vulkanische heuvel die men, wijs en met vooruitziende blik, al in de prilste fase van de stad had ommuurd, was inmiddels bijna helemaal bebouwd.

Recente stratigrafische onderzoekingen in dit gebied hebben aangetoond dat men hier in deze periode in een schaakbordpatroon een reeks kleine, volkomen identieke huizen heeft gebouwd, opgetrokken rond een binnenplaats en met aan de achterzijde een tuin. Toen naderhand de behoefte aan woningen was afgenomen omdat Nuceria was herbouwd, werden deze huizen afgebroken om plaats te maken voor grote stukken landbouwgrond, waarop men wijn verbouwde en de bloemen kweekte die werden gebruikt voor de vervaardiging van parfum.

DE WELVAART VAN DE LAATSTE SAMNITISCHE PERIODE

Zuilengang van het driehoekige forum
2de eeuw v.C.
Pompeji.

De zuilengang, gebouwd aan het begin van de 2de eeuw v.C., is een van de overblijfselen van het driehoekige forum, een van de oudste openbare ontmoetingsplaatsen van de stad. Het driehoekige forum maakt deel uit van een nauwkeurig stedebouwkundig plan en is architectonisch en ideologisch verbonden met de theaterwijk.

In de laatste decennia van de 2de eeuw v.C., tegen het einde van de Samnitische tijd, beleefde Pompeji een van de welvarendste perioden uit zijn geschiedenis. Het bondgenootschap met Rome had voor de Italische wereld het hele Middellandse-Zeegebied, en met name het oostelijke deel ervan, ontsloten als afzetmarkt. Dit bracht nog meer welvaart in een maatschappij die al profiteerde van een degelijke, produktieve economie, gebaseerd op het grootgrondbezit, de *latifundio*. Het leven in de stad weerspiegelde de rijkdom die de kooplieden vergaarden met hun lucratieve zeehandel.

Halverwege de eeuw was er een ambitieus stadsvernieuwingsprogramma opgezet. Een zuilengang met twee boven elkaar geplaatste rijen zuilen – onder Dorische, boven Ionische – waarmee elementen uit verschillende perioden en van verschillende herkomst werden verbonden, gaf het centrale plein, het forum, een monumentaal karakter. Een aan Jupiter gewijde tempel, het belangrijkste religieuze bouwwerk van de stad, kwam op de lengte-as van het plein te staan en begrensde het aan de noordzijde. Ten oosten van die tempel werden tegen het einde van de 2de eeuw het *macellum*, de vlees- en vismarkt, gebouwd, en vervolgens ook de *basilica*, het belangrijkste openbare gebouw, waar rechtszittingen werden gehouden en dat het middelpunt was van het openbare leven. Hier ontmoette men elkaar om zaken te doen en zich op de hoogte te stellen van de gebeurtenissen van de dag.

Bij de Dorische tempel werd rond dezelfde tijd een andere belangrijke openbare ruimte gebouwd, met aan de zijde die naar het centrum van de stad was gericht een monumentale ingang en propyleeën met Ionische zuilen. De ruimte was onregelmatig, enigszins driehoekig van vorm, maar had een duidelijk geometrisch karakter dank zij een driedubbele zuilengang, die in zuidelijke richting doorliep en bij het terras een weids uitzicht bood op de zee en op de Montes Latarii in de verte.

Dit verhoogde gedeelte, waarop al een *palaestra* was ingericht, werd verbonden met de steile heuvelflank, waarin de bankenrijen werden uitgehouwen voor een groot openluchttheater. Zo werd de Dorische tempel, die boven het theatercomplex stond en waarin men nu de godheid vereerde aan wie de voorstellingen (waarmee oorspronkelijk de heilige mysteriën werden geëerd) werden opgedragen, onderdeel van een architectonische configuratie met duidelijk hellenistische trekken. Het geheel werd gecompleteerd door een uitgestrekte zuilengang achter het toneel, die tussen de bedrijven en de voorstellingen door dienst deed als foyer. Deze zuilengang werd gedeeld met een klein, belendend overdekt theater voor de lyrische voorstellingen, waar op de klanken van de lier poëzie werd voorgedragen.

Dit architectonische project kon echter niet worden voltooid in de Samnitische tijd. Een bewogen periode was aangebroken en de Italische volkeren stonden op het punt in opstand te komen tegen Rome. Anders dan tijdens de oorlogen die in de voorafgaande eeuwen waren gevoerd, ging het de Samnieten er nu niet om Rome de suprematie te betwisten. Het kwam niet in hen op te verlangen naar onafhankelijkheid van een mogendheid die al een groot deel van de wereld had veroverd. Deze keer wilden ze het Romeinse burgerrecht bemachtigen, dat bijzonder aantrekkelijk was vanwege de juridische en economische voordelen die het bood.

Boven
Altaar
Marmer. 1ste eeuw n.C.
Vespasianus-tempel, Pompeji.

Rechterbladzijde
Offerscène
Detail.
Marmeren bas-reliëf. 1ste eeuw n.C.
Altaar van de Vespasianus-tempel, Pompeji.
De naar het forum gekeerde zijde van het altaar, dat is ontkomen aan de plunderingen na de eruptie, wordt gesierd door een bas-reliëf waarop een offer is afgebeeld. De offerpriester en zijn helper voeren de stier mee die ritueel zal worden gedood, terwijl de priester, met bedekt hoofd, op een drievoet een plengoffer brengt. Op de achtergrond staan een fluitspeler, lictoren met de *fasces*, het herkenningsteken van magistraten, en de assistenten van de priester. Zij hebben de attributen voor de ceremonie bij zich.

EEN ROMEINSE KOLONIE

Tijdens deze Bondgenotenoorlog (90 tot 88 v.C.) gingen Rome's Italische bondgenoten verschillende confrontaties aan met de troepen van de Romeinse generaal Sulla. Pompeji werd belegerd. Op het moment van de uitbarsting, 170 jaar later, droeg de stad nog de sporen van de dramatische gebeurtenissen uit die tijd: Oskische inscripties op straathoeken vertelden de te hulp geschoten troepen uit de andere steden van de confederatie hoe ze zich over de stadsmuren moesten verdelen om de aanval van de vijand te kunnen afslaan. Maar het was allemaal vergeefs. Rome was te sterk voor Pompeji, dat op de knieën en tot overgave werd gedwongen. Herculaneum onderging hetzelfde lot.

Herculaneum werd na de verovering door de troepen van Sulla een stad, terwijl Pompeji in 80 v.C. de status kreeg van een

kolonie volgens het Romeinse recht. Vanaf die tijd zou Pompeji, net als de andere stedelijke centra uit de omgeving, geheel afhankelijk zijn van de politieke, bestuurlijke, maatschappelijke en economische koers van de nieuwe meesters. Die ontzetten de oude Oskische aristocraten uit hun hoge functies en maakten zich meester van hun grond, waarop ze luxueuze villa's lieten bouwen. Zo veranderde Pompeji, net als veel andere steden in Campanië, binnen de kortste keren in een vakantieoord voor rijke Romeinen. Het gezonde klimaat en de onvergelijkelijke schoonheid van het landschap leverden ideale voorwaarden voor het luie leventje van de overheersers. De uitzonderlijke vruchtbaarheid van de bodem en de minimale arbeidskosten die gemoeid waren met het door slaven verrichte werk op het land, garandeerden een hoge opbrengst en dus flinke inkomsten

Het odeon

Cavea en *proedria*.
Eerste helft van de 1ste eeuw v.C.
Pompeji.

Het overdekte kleine theater had een capaciteit van 1500 plaatsen en was bestemd voor lyrische voorstellingen, ofwel door een lier begeleide poëzie-voordrachten. Zorgvuldig gemaakte tufstenen reliëfs aan de uiteinden van de balustrade die de *cavea* scheidde van de *proedria* – de ruimere banken vlak voor het toneel waren bestemd voor de notabelen – stellen gevleugelde leeuwepoten voor. Iets hoger is een tufstenen telamon te zien.

uit het bezit van grond en onroerend goed. De namen van de vele Romeinse aristocraten die bezittingen hadden in Pompeji zijn bekend. Uit de tijd van de Republiek is de bekendste zonder twijfel Marcus Tullius Cicero (106 tot 43 v.C.), de grote redenaar en staatsman. Veel van zijn beroemde brieven schreef hij vanuit zijn geliefde landgoed *Pompeianum*.

De architectuur uit die tijd volgde natuurlijk de canons van het nieuwe regime. Nadat de Samnitische magistraten uit hun ambt waren ontzet, vielen hun weelderige huizen in handen van de Romeinse kolonisten, die ze verbouwden. De Jupiter-tempel werd het Capitool, het tastbare symbool van de macht van Rome over de stad die nu een kolonie was. De vroegere thermen van Stabiae werden gerestaureerd, terwijl vlak bij het forum een nieuwe badinrichting werd gebouwd. Bij de basilica werd een nieuwe tempel gebouwd, op een kunstmatig terras, opdat dit bouwwerk net als de Dorische tempel vanuit zee te zien zou zijn. De tempel werd gewijd aan Venus, Sulla's beschermgodin, die de Romeinen geraffineerd indentificeerden met de plaatselijke godheid van de vruchtbaarheid van de natuur aan wie de stad werd gewijd met de naam Colonia Cornelia Veneria Pompeianorum, 'van de cultus van Venus Pompeiana'.

Het odeon
Eerste helft van de 1ste eeuw v.C.
Pompeji.

Men aarzelde niet om dwars door de schitterende villa van Diomedes een nieuwe, rechte invalsweg naar de noordwestelijke poort van de stad aan te leggen. Maar het bouwprogramma in de theaterbuurt werd bekroond met de bouw van een overdekte zaal, terwijl in het uiterste zuidoosten van de stad een amfitheater met 20.000 zitplaatsen werd gebouwd – het oudste dat bewaard is gebleven, en waarvoor vermoedelijk in de Samnitische tijd al plannen hebben bestaan.

HET NIEUWE TIJDPERK: AUGUSTUS

Tijdens de regering van Augustus (27 tot 14 v.C.) en het begin van de keizertijd werd de architectuur statig en propagandistisch. Augustus, die de delicate taak had Rome te leiden naar een regeringsvorm die beter paste bij een wereldmacht, had een grote behoefte aan steun en waardering van zijn onderdanen. Hij moest de macht zien te consolideren die hij beetje bij beetje had veroverd, maar die hij alleen maar daadwerkelijk kon uitoefenen door zich persoonlijk een reeks constitutionele bevoegdheden

Telamon

Tufstenen sculptuur.
Eerste helft van de 1ste eeuw v.C.
Odeon, Pompeji.

De tufstenen telamons in het odeon van Pompeji zijn belangwekkende voortbrengselen van de sculpturale traditie die voortkwam uit de hellenistische cultuur, die in de begintijd van de Romeinse kolonisatie nog springlevend was.

toe te eigenen die dank zij een handige juridische truc in hun oude republikeinse vorm te handhaven waren. Om de overgang van republiek naar keizerrijk vlekkeloos te laten verlopen, moest hij een grote mate van consensus zien te bereiken, waarbij hij steunde op de stadsbesturen van het hele Italiaanse schiereiland.

De nieuwe politieke lijn had met name behoefte aan steun van de rijke bourgeoisie uit het hele rijk. Pompeji is wat dit betreft exemplarisch, te meer daar Augustus bij de nieuwe bestuurlijke indeling Campanië met Latium had samengevoegd tot de eerste administratieve regio. Tijdens de vroege keizertijd kwamen de vertegenwoordigers van de oude autochtone families, die de bestuurlijke laag van de maatschappij hadden gevormd voordat ze onder Sulla uit het publieke leven waren verwijderd, weer dichter in de buurt van de hoogste machtsinstanties. Augustus schonk hun zijn gunst, verleende sommigen van hen de rang van ridder of concrete privileges. Welwillend zag hij toe hoe ze in het plaatselijke leven weer de bevoorrechte sociale posities van hun voorouders innamen. Wat hij ervoor terugkreeg, was dat grote delen van de bevolking hun keizer begonnen te vereren als een god. In die cultus speelden de *Augustales*, de priesters van Augustus, een cruciale rol. Deze priesters waren rijke vrijgelatenen, voor wie magistraatsambten door hun verleden als slaaf onbereikbaar bleven, maar die nu eindelijk een officiële rol kregen toebedeeld die in verhouding was met hun economische macht en hun talenten als ondernemer. Ze ontfermden zich over de bouw van indrukwekkende openbare gebouwen, die ze, wanneer de schatkist daar niet toe in staat was, ook financierden. Hiermee maakten ze zich zeer nuttig voor de Augusteïsche propaganda.

Toneelmasker

Detail.
Fresco in de tweede stijl.
118 x 60 cm.
Reg. VI, *insula occidentalis*, 4, Pompeji.
Napels, Museo Archeologico Nazionale.

Toen de maatschappelijke rust in het land was hersteld, moesten het welzijn en de welvaart die de nieuwe 'gouden tijd' de Romeinse wereld had gebracht ook zichtbaar worden gemaakt. Pompeji tooide zich met marmer en standbeelden: op het forum kwam als aanvulling op en gaandeweg ook ter vervanging van de oude tufstenen zuilen een reeks zuilenrijen te staan die waren gemaakt van travertijn, een decoratieve, marmerachtig witte steensoort. De oude bestrating werd vervangen door travertijnen tegels, waarop in bronzen letters een lovende inscriptie werd aangebracht. De belangrijkste gebouwen van de stad werden gerestaureerd, vergroot, verfraaid. De wijnproducenten en -exporteurs lieten het grote theater verfraaien met een bovenste galerij met

Rel in het amfitheater

Fresco vervaardigd tussen 59 en 79 n.C.
169 x 185 cm.
Huis I, 3, 23, Pompeji.
Napels, Museo Archeologico Nazionale.

Rechterbladzijde en boven

Tepidarium

1ste eeuw v.C.
Thermen van het forum, Pompeji.

De architectonische decoratie met terracotta telamons die het tongewelf ondersteunen en de omlijsting vormen van een rij diepe nissen, stamt uit de tijd van de bouw, aan het begin van de 1ste eeuw v.C. Het *clair-obscur* speelt hierin een belangrijke rol. Het polychrome stucwerk van het gewelf is aangebracht tijdens de restauratie die volgde op de aardbeving van 62 n.C. en vertegenwoordigt de vierde stijl. Op de grond staan een grote vuurpot, die de ruimte verwarmde, en bronzen banken waarvan de poten de vorm hebben van dierepoten en versierd zijn met koeiekoppen – een zinspeling op de naam van de schenker ervan, een zekere Nigidius

dubbele arcaden, die ze opdroegen aan Augustus. Een zekere Tullius liet op een stuk grond dat hij bezat een aan Fortuna Augusta gewijde tempel bouwen, en ter bevordering van de sportieve activiteiten met paramilitair karakter, waarvan Augustus een groot voorstander was, kwam er bij het amfitheater een palaestra met in het midden een groot zwembad. De burger N. Nonius Balbus liet in Herculaneum een basilica bouwen, en hij had bovendien de supervisie over de restauratie van de ommuring aldaar. Een gigantische onderneming was de bouw van een nieuw aquaduct, dat water uit de bergen naar de vlootbasis in Misenum aan de Golf van Napels leidde en eindelijk ook Herculaneum en Pompeji voorzag van stromend water – niet alleen de openbare fonteinen en de badhuizen, maar ook de huizen zelf. De tuinen werden verfraaid met waterbekkens, beelden en nissen versierd met kleurige glasmozaïeken, en zelfs met *nymfaea*, monumentale fonteinen, waar de bewoners en hun bezoek tijdens de middaghitte verkoeling konden vinden in murmelend water.

DE OPVOLGERS VAN AUGUSTUS

De keizers die Augustus opvolgden, met name Tiberius, zetten Augustus' beleid van keizerlijke propaganda voort. De architectuur is hiervan het tastbaarste overblijfsel. Een van de kenmerkendste voorbeelden is het bouwwerk dat in opdracht van de priesteres Eumachia op het forum verrees voor de corporatie van lakenbereiders, wolwerkers, ververs en wassers, maar dat in de praktijk onderdak bood aan zeer uiteenlopende commerciële activiteiten. De indrukwekkende vestibule was versierd met beelden met opschriften die de roem bezongen van de illustere leden van de *gens* Julia, het keizerlijke geslacht. De triomfboog ten oosten van de Jupiter-tempel begrensde het forum aan de noordzijde. Vermoedelijk hebben in de nissen beelden van Nero en andere keizers gestaan. Een ruiterstandbeeld bekroonde het monument. De triomfboog die noordelijker aan dezelfde weg staat en die een schitterend uitzicht biedt op de volle lengte van de Via di Mercurio, was vermoedelijk gewijd aan keizer Tiberius.

Pompeji was enkele tientallen jaren lang een rustige, welvarende stad, maar in 59 n.C. brak er een conflict uit met Nuceria. Een heftige rel in het amfitheater werd toen met geweld neergeslagen door het centrale gezag, dat vreesde voor een opstand. De ruzie

met Nuceria ging om het grondgebied dat Nero aan die stad had toegewezen toen hij deze tot een Romeinse kolonie had gemaakt.

DE AARDSCHOKKEN DIE AAN DE UITBARSTING VOORAFGINGEN

De grote gebeurtenis die het leven in Pompeji letterlijk op zijn kop zette, was de aardschok van 5 februari in het jaar 62. De Pompejanen lieten zich door deze ramp echter niet uit het veld slaan. Een indrukwekkende wederopbouw, van zowel woningen als openbare gebouwen, veranderde hun stad voor jaren in een immens bouwterrein. De burgers legden een tomeloze energie aan den dag en maakten van de gelegenheid gebruik om ook nieuwe bouwwerken neer te zetten, zoals de grandioze centrale thermen, die het terrein van een heel huizenblok besloegen bij de kruising van de Via Stabiana en de Via di Nola, of de tempel van de Laren, die vermoedelijk – en met weinig effect – is gebouwd ter bezwering van het *prodigium*, het ongunstige voorteken dat de stad had getroffen.

Het centrale gezag steunde de moeite die de Pompejanen zich getroostten voor de wederopbouw: aanvankelijk Nero, die, samen met zijn uit Pompeji afkomstige vrouw Poppaea, in veel opschriften wordt bejubeld, en vervolgens keizer Vespasianus, aan wie een tempel op het forum werd gewijd. Desondanks heeft men de projecten niet kunnen voltooien. Kort voor de uitbarsting van de Vesuvius werd de stad getroffen door nieuwe schokken. Uit de recentste onderzoekingen is gebleken dat het feit dat verschillende openbare bouwwerken nog niet in gebruik waren genomen en dat in allerlei woningen restauratiewerkzaamheden aan de gang waren, te maken heeft met deze beving, en niet met die van 62.

Toen op 24 augustus 79 de vulkaanuitbarsting een einde maakte aan de geschiedenis van Pompeji, was de stad nog bezig de wonden te verzorgen die de eerdere aardschokken hadden toegebracht. De Vesuvius, de machtige berg met zijn wijngaarden, die zich ogenschijnlijk beschermend boven de stad verhief, ontpopte zich als de vurige vinger waarmee de verwoestende natuurkrachten het definitieve doodvonnis van Pompeji tekenden.

Linkerbladzijde
Caldarium
1ste eeuw v.C.
Thermen van het forum, Pompeji.

De ruimte voor het warme bad was aan de noordzijde uitgerust met een marmeren bekken waarin het in grote ketels verhitte water werd gegoten. De stoom verspreidde zich via leidingen van klei door de ruimte onder de verhoogde vloer en steeg op in de ruimte tussen de dubbele wand. Zo werd het vertrek een immense radiator. Interessant is de gecanneleerde stuclaag tegen het tongewelf, die de stoom verdeelde. Op de voorgrond zien we een marmeren bad, het *labrum*, met een koudwaterfontein die zorgde voor snelle verkoeling. In de bronzen tekst langs de rand worden de namen genoemd van de magistraten die deze badinrichting lieten bouwen, evenals het bedrag dat de schatkist ter beschikking had gesteld: 5250 sestertiën, een aanzienlijke som (een rond brood kostte een halve sestertie).

Onder
Bekken in het caldarium
Detail.

OP ZOEK NAAR EEN IDENTITEIT

De slag van Alexander bij Issos
Detail: Darius.
Mozaïek in de eerste stijl.
Huis van de Faun, Pompeji.
Napels, Museo Archeologico Nazionale.

De overblijfselen uit de vroegste periode in het bestaan van de stad bieden weinig inzicht in de maatschappij die zich er ontwikkelde. Aan de hand van de schaarse gegevens die de opgravingen hebben opgeleverd, heeft men met moeite de grote lijnen van het culturele leven uit die tijd kunnen reconstrueren. Uitgebreidere aanwijzingen omtrent de structuur, vorm en decoratie van bepaalde woningen stammen pas uit de tweede Samnitische periode, vanaf de 3de eeuw v.C.

Enige informatie over de Osken, de toenmalige bewoners van Pompeji, en meer in het algemeen over de Italische volkeren van Samnitische oorsprong, die in de geschiedschrijving nooit helemaal recht zijn gedaan, kan bijdragen aan een goed begrip van die periode.

CULTUUR EN SMAAK IN DE SAMNITISCHE TIJD

De Italiërs introduceerden een volledig nieuwe politieke opvatting: het federalisme. Hun tragiek is dat ze op een beslissend moment in hun geschiedenis tegenover Rome kwamen te staan en werden verslagen. De triomf van de Romeinen tijdens de slag bij Sentinus in 295 v.C. joeg de Osken het vergeetboek in. Overwinnaars zijn degenen die de geschiedenis schrijven, dus het is niet verwonderlijk dat de geschiedschrijvers uit de Oudheid van-

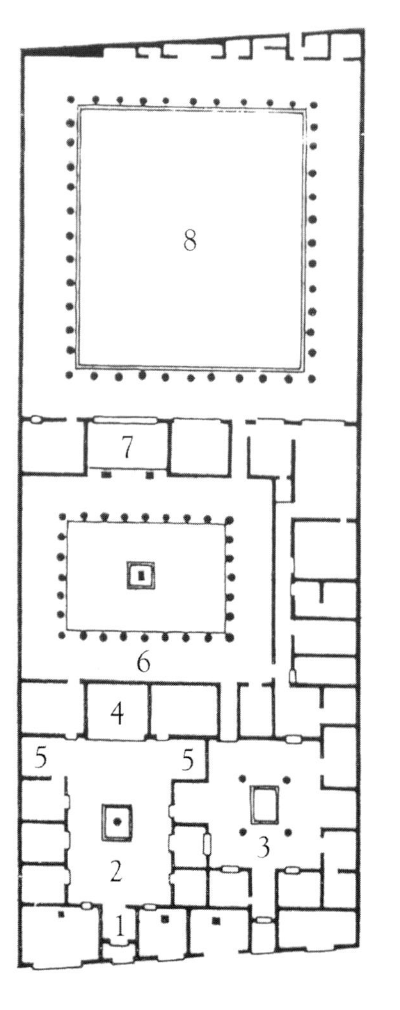

Rechts

Plattegrond van het huis van de Faun

1 Vestibulum
2 Eerste atrium
3 Tetrastylisch atrium
4 Tablinum
5 Vleugel
6 Eerste peristylium
7 Exedra
8 Tweede peristylium

Onder

Reconstructie van de decoratieve structuur van het atrium in het huis van de Faun

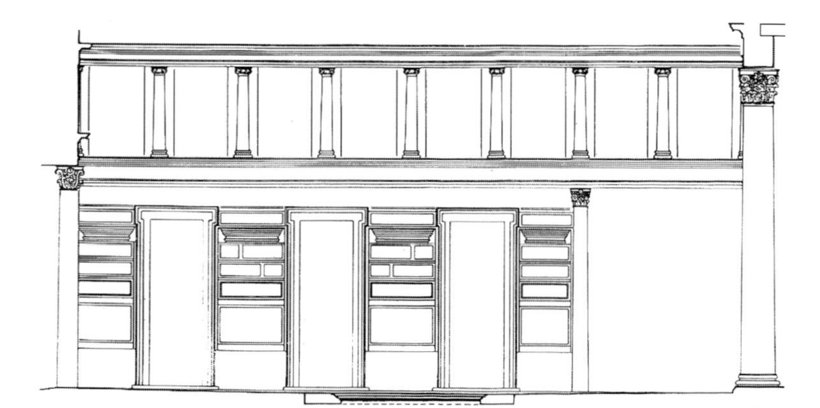

uit een Romeinse optiek schreven. Zij gaven een weinig vleiend portret van de Samnieten, die ze afschilderden als onbehouwen vechtersbazen uit de bergen, die er primitieve stamgebruiken op na hielden. Geen enkele tekst van hen, geen regel uit hun geschriften hebben ze vertaald, waardoor men zou kunnen denken dat het hier een onbeschaafd volk betrof. Maar dat was natuurlijk de manier waarop Rome omging met onderworpen volkeren.

Bij Cicero lezen we echter over hoogst verheven, ten overstaan van Plato in Tarente gevoerde conversaties over de voordelen van de ouderdom. Deze gesprekken gingen tussen Plato's grote vriend Archytas, Pythagoreeër en wiskundige, en de Samnitische aristocraat Gaius Pontius Samnita. Dit zegt wel iets over de intellectuele rijkdom die de Italische maatschappij halverwege de 4de eeuw v.C. moet hebben bezeten. Het is immers ondenkbaar – en hierbij baseren we ons eerder op de waarschijnlijkheid dan op feiten – dat Plato en Archytas zware filosofische onderwerpen zouden hebben behandeld met een ongeletterde, of met iemand die niet geheel en al doordrongen was van de culturele waarden van de Griekse wereld. De Samnitische aristocratie, waar Gaius Pontius deel van uitmaakte, heeft zich vermoedelijk meer op zijn gemak gevoeld bij dit soort thema's dan met gekeuvel over het leven van alledag.

De archeologie heeft bewijzen aangedragen voor de nauwe band die er bestond tussen de Italiërs en de Griekse cultuur. De schatten die zijn gevonden in graven, de beschilderde graftomben, de artistieke sporen – allemaal wijzen ze op een maatschappij die zowel op bestuurlijk als op militair niveau goed georganiseerd en danig gehelleniseerd was en die er een bepaald verfijndere manier van leven op nahield dan de Romeinse.

HET HUIS MET ATRIUM

De planologische opzet en de openbare gebouwen van Pompeji spreken boekdelen over de mentaliteit van de Samnieten die de stad bewoonden en die in hoge mate was bepaald door uit Griekenland overgewaaide ideeën. Sommige bewaard gebleven

---

3 De namen die in de moderne tijd zijn gegeven aan de huizen en villa's in Pompeji verwijzen maar zelden naar hun eigenaars, die men vaak niet heeft kunnen identificeren. Meestal verwijzen ze naar ontdekkingen die in de betreffende woning zijn gedaan.

Tetrastylisch atrium
2de eeuw v.C.
Huis van de Zilveren Bruiloft, Pompeji.

woningen in de stad zijn schitterende getuigenissen van de Samnitische weelde. Deze woningen geven bovendien nauwkeurige informatie over de architectonische structuur van de stad.

Huizen zoals dat van de Chirurg (VI, 1, 10)[3] en dat van Sallustius (VI, 2, 4) vertonen, ondanks de veranderingen die ze hebben ondergaan, nog de oorspronkelijke indeling van de Italische huizen waarin leden van de bezittende klasse in de 3de eeuw v.C. woonden. Aan weerszijden van de door een *vestibulum* voorafgegane ingang in de strenge, uit vierkante blokken kalk- of tufsteen opgetrokken gevel, lagen twee zijvertrekken, die soms open waren aan de straatzijde en konden worden gebruikt als winkels aan huis. In het verlengde van de vestibule lag het *atrium*, de centrale ruimte van de woning, waarop verschillende woon- en

Vloer

Travertijn, leisteen en groen kalksteen.
Eerste stijl. 2de eeuw v.C.
Tablinum van het huis van de Faun, Pompeji.

Op de vloer wisselen ruiten in verschillende kleuren elkaar af, waardoor een driedimensionaal kubuseffect ontstaat. Een vloer als deze verhoogde de statige sfeer van het vertrek waarin de heer des huizes zijn *clientes* ontving, aangezien dit type decoratie gebruikelijk was voor tempelheiligdommen. Zo kregen zowel het vertrek als de magistraat die er, gezeten op een indrukwekkende zetel, zijn audiënties hield, een haast sacrale waardigheid en prestige.

Rechterbladzijde

Impluvium

2de eeuw v.C.
Atrium van het huis van de Faun, Pompeji.

De rand rondom het impluvium in het eerste atrium bestaat uit wit, fijnkorrelig marmer. Het impluvium zelf is bekleed met ruiten van gekleurd kalksteen, die een motief vormen dat karakteristiek is voor de vloerdecoraties in de eerste stijl. Midden in het impluvium staat een kopie van het bronzen beeldje van de dansende faun, een meesterwerk van de Griekse kunst. Het origineel bevindt zich in het museum in Napels.

Onder

Vloer

Detail van het tablinum van het huis van de Faun.

slaapvertrekken uitkwamen en die het middelpunt was van het huiselijk leven. In het *impluvium*, een ondiep bassin midden in het atrium, werd het regenwater opgevangen dat door het *compluvium*, een opening in het dak, naar binnen viel. Het water werd vervolgens naar een put onder het bassin geleid, waar het werd bewaard voor huishoudelijk gebruik. Het compluvium zorgde tevens voor het licht in de woning, want de andere vertrekken hadden zelden muuropeningen aan de buitenkant – op zijn hoogst een smal kijkgat met afgeschuinde kozijnen. Achter het atrium, ook weer in het verlengde van de ingang, lag dan het *tablinum*. Aanvankelijk was dit de slaapkamer van de heer des huizes, waar de *tabulae*, de familiearchieven en -documenten, werden bewaard, maar later ontwikkelde het zich tot het kantoor waar hij zijn *clientes* ontving, de mensen die op de een of andere manier van hem afhankelijk waren en die hem een bezoek brachten om hun diensten aan te bieden of zijn hulp en bescherming te vragen. Aan weerszijden van het tablinum lagen de *alae*, twee open zijvleugels van het atrium. Hier bewaarde men aanvankelijk de afbeeldingen die werden gebruikt bij de verering van de goden en de voorouders van de familie. Later kregen de alae een functie als gastenverblijf. Achter het tablinum lag een moestuintje, waarin de groenten voor de dagelijkse maaltijden werden verbouwd.

DE RIJTJESHUIZEN

Het huis met atrium kan echter niet worden beschouwd als het meest gangbare woningtype. Recente stratigrafische onderzoekingen in het zuidoostelijke deel van de stad, langs de Via di Nocera, hebben een theorie van de specialist Hoffmann kracht bijgezet. Bestudering van een paar huizen die tamelijk dicht bij elkaar liggen op perceel 11 van regio I heeft uitgewezen dat er al aan het einde van de 3de eeuw v.C., of op zijn laatst aan het begin van de 2de eeuw, huizen bestonden van een type dat hemelsbreed verschilde van de luxueuze atrium-woning.

Die huizen, die in een rij aan de weg stonden en allemaal van hetzelfde type en ongeveer dezelfde omvang waren, waren klein. Het overdekte deel besloeg ongeveer 120 m^2 en was nog geen 10 m breed. Een ongeveer 3 m lange gang deelde het voorste gedeelte van de woning in twee vertrekken en leidde hier niet naar een atrium, maar naar een centraal gelegen dwarsvertrek, dat de breed-

Dansende faun

Brons. Origineel. 2de eeuw v.C.
Hoogte: 71 cm.
Huis van de Faun, Pompeji.
Napels, Museo Archeologico
Nazionale.

te van het huis besloeg en hooguit 5,5 m diep was. Dit dwarsvertrek was het middelpunt van het huis en het huiselijk leven en vormde de verbinding met de andere delen ervan. Erachter lagen slaapvertrekken, met een diepte van 4 à 5 m. Een gang liep naar een hofje aan de achterzijde, vermoedelijk een *hortus*, een siertuin.

Bij recent onderzoek heeft men ook andere maar vergelijkbare woningtypes ontdekt: de huizen van een tamelijk homogene middenklasse, die op het maatschappelijke vlak geen belangrijke rol speelde, maar wel een eigen huis bezat. Deze huizen oogden tamelijk bescheiden, zowel door de gebruikte materialen als door de goedkope, eenvoudige en snelle manier van bouwen. De bouw ervan, vaak met hele woonblokken tegelijk in nieuwe buitenwijken, kan verband houden met de toestroom van talloze families uit naburige steden zoals Nuceria, waar het leger van Hannibal grote verwoestingen had aangericht. Deze huizen, waar weldra, tijdens de volgende bouwgolf, een verdieping op zou worden gezet, onderscheidden zich door de tuin die, onafhankelijk van de omvang van de woning, steevast aan de achterzijde te vinden was en een onmisbare aanvulling op de woonruimte vormde. Deze tuin was van groot belang voor de gezinseconomie en vertelt de huidige onderzoekers veel over de manier van leven en de mentaliteit van een hele maatschappij.

HET ATRIUM: EEN PRESTIGIEUS VERTREK MET EEN REPRESENTATIEVE FUNCTIE

Fries met maskers
Mozaïek in de eerste stijl.
49 x 280 cm.
Huis van de Faun, Pompeji.
Napels, Museo Archeologico Nazionale.

De ontwikkeling van de architectuur voor de bevoorrechte klassen laat zien wat voor weelde de intensieve commerciële en culturele uitwisseling met de hellenistische wereld Pompeji heeft gebracht – een weelde die de stad graag inzette voor zijn imago. De elite, die in de 2de eeuw v.C. aanzienlijke rijkdom had vergaard, heeft de voorbeelden van de dominante cultuur voortreffelijk geassimileerd, en aarzelde vervolgens niet er ook mee te wedijveren.

Uit de openbare gebouwen, met hun colonnades, zuilengangen en andere grandioze elementen, sprak de voorliefde voor het monumentale. Ondertussen wilden de notabelen ook het decor van hun privéleven een officieel cachet geven, dat hun rol in het openbare leven en hun sociale imago zou weerspiegelen. In deze maatschappij had een aantal families het voor het zeggen. Zij waren zich zeer bewust van hun positie en gaven met de weelderige woningen die ze lieten bouwen – waarvan sommige de allure hadden van koninklijke paleizen – uitdrukking aan hun macht en hun hiërarchische rang. De woningen veranderden geleidelijk van structuur, zonder echter hun oorspronkelijke karakter te verloochenen. Het traditionele grondplan bleef bewaard, maar werd uitgebreid met nieuwe vertrekken, die nieu-

Fries met maskers
Details.

we functies hadden. Bepaalde karakteristieke elementen van de openbare architectuur, zoals de zuilen en colonnades, werden onmisbare ornamenten voor woningen.

In Pompeji, en dan vooral in regio VI, de woonwijk voor de chic van die tijd, zijn tal van voorbeelden van huizen met een dubbel atrium te vinden, zoals het huis van de Faun (VI, 12, 2-5), dat van het Labyrint (VI, 11, 9-10), van de Grote (VI, 8, 20-22) en van de Kleine Fontein (VI, 8, 23-24), en van het Zilverwerk (VI, 7, 20-21), maar ook dat van het Eeuwfeest (IX, 8, 6). De twee atria, die naast elkaar lagen, hadden elk een eigen functie: het ene was gereserveerd voor de familie en stond in verbinding met de vleugel met de personeelsvertrekken. Het andere deed dienst als openluchtkantoor, waar de zakenman zijn klanten ontving. Het was de ruimte voor privé-audiënties, waar de magistraat politieke, juridische en staatszaken behandelde. Het was, zoals de beroemde Romeinse bouwmeester Vitruvius zei, een plaats waar de mensen uit het volk konden komen zonder te zijn uitgenodigd. Bepaalde vertrekken in de woning bestonden speciaal voor dat doel, en zij droegen door hun vorm en decoraties bij aan de achtenswaardigheid van degene die er zijn cliënten en medeburgers ontving.

Ook de huizen die rondom een enkel atrium werden gebouwd, moesten de bezoeker bij de eerste oogopslag duidelijk maken hoe het zat met het maatschappelijke en persoonlijke prestige van de heer des huizes. Het atrium werd allengs groter. Rondom het impluvium kwamen vier hoge zuilen met schitterend bewerkte kapitelen te staan, zoals de zuilen die in het huis van de Zilveren Bruiloft (V, 2, 11) de balken van het dak en het compluvium ondersteunden en het atrium een luister verleenden die het binnenhof van een hellenistisch paleis waardig zou zijn geweest. Hetzelfde gold voor het 'Corinthische' atrium van het huis van de Dioscuren (VI, 9, 6), waar niet minder dan twaalf zuilen het dak ondersteunden, of voor dat van de Diadumeni (IX, 1, 20), dat er zestien telde.

Er werden ook grote atria zonder zuilen gebouwd, volgens het zogenaamde Toscaanse model. Hier werd het dak, in de sobere Italische traditie, gedragen door houten balken, die ook weer de rijkdom van de heer des huizes weerspiegelden. Het was namelijk niet eenvoudig om aan balken te komen die lang en stevig genoeg waren om het gewicht van een groot dak te dragen. Bovendien

maakten de technische kennis en de degelijk geschoolde arbeidskrachten die nodig waren om zo'n dak te maken, de bouw van een atrium van dit type tot een ingewikkelde en buitengewoon kostbare aangelegenheid, die buiten het bereik lag van het merendeel van de Pompejaanse edelen. De minder bevoorrechten kozen voor een patio met vier sobere zuilen, wat een stuk minder duur was maar toch nog erg elegant. Al deze atria, van de eenvoudigste tot de weelderigste, getuigen van de moeite die men zich getroostte om de woning het uiterlijk te verlenen dat de sociale status van de eigenaars het beste zou laten uitkomen. Niet alleen de decoraties had een representatieve functie, maar ook de architectuur zelf was een indicatie voor het prestige van de familie. Dit is goed te zien aan het atrium van het huis van de Faun, waarop volgens een alleszins betrouwbare reconstructie een verdieping was gebouwd met zuilen die er een soort loggia van maakten.

HET HELLENISTISCHE HUIS

De hellenistische bouwstijl onderging in de woonhuizen van Pompeji belangrijke veranderingen. De huizen werden ruimer. Het gedeelte achter het tablinum, waar vroeger de moestuin lag, werd vervangen door een tuin die werd omsloten door een schaduwrijke zuilengang: het *peristylium*. Het royale gebruik van zuilen, een kenmerk van de Griekse architectuur voor openbare, al

dan niet religieuze bouwwerken, kwam, zoals in de Griekse *gymnasia*, de ruimtelijkheid zeer ten goede en verleende het geheel een duidelijke grandeur. Het peristylium met zijn monumentale zuilen ontwikkelde zich, midden in de privé-omgeving, tot het centrum van het sociale leven. Rondom de zuilenrijen lagen de woonvertrekken en de ontvangstruimten, die allemaal waren geïnspireerd op het Griekse voorbeeld, zoals de *oeci*, *exedrae*, *diaetae*, *triclinia* en *bibliothecae*[4].

De magistraat, die in het atrium zijn zaken regelde en zijn *clientes* te woord stond, ontving zijn vrienden in het peristylium, waar hij lange gesprekken met hen voerde, die, bij het licht van kaarsen en fakkels, werden voortgezet tijdens copieuze maaltijden. De tuin, waaruit de geur van rozen en andere sierplanten de sterke lucht van kool en rapen van de oude moestuin al snel had verdreven, bracht in de door hoge muren zonder ramen van de buitenwereld afgesloten stadse woning dat vleugje natuur waaraan men steeds meer behoefte kreeg. De tuin met zuilengang leende zich uitstekend voor allerlei representatieve doeleinden en was het symbool van de *luxuria*. Maar het was ook een functionele ruimte: hij stond rechtstreeks in verbinding met de verschillende ontvangstruimten die eromheen lagen. De tuin zou voortaan het punt zijn waar alles om draaide: het middelpunt van het huiselijk leven.

Leven van de Nijldieren
Mozaïek in de eerste stijl.
70 x 333 cm.
Huis van de Faun, Pompeji.

Dit kleurige, van minuscule steentjes vervaardigde mozaïek lag bij de ingang van de door twee zuilen begrensde exedra aan het eerste peristylium. In deze exedra lag het mozaïek *De slag van Alexander bij Issos*.
De slangen, dieren en planten uit de Nijl en van de Nijloevers verwijzen naar Alexanders verovering van Egypte, na zijn overwinning bij Issos.

4 Zie verklarende woordenlijst.

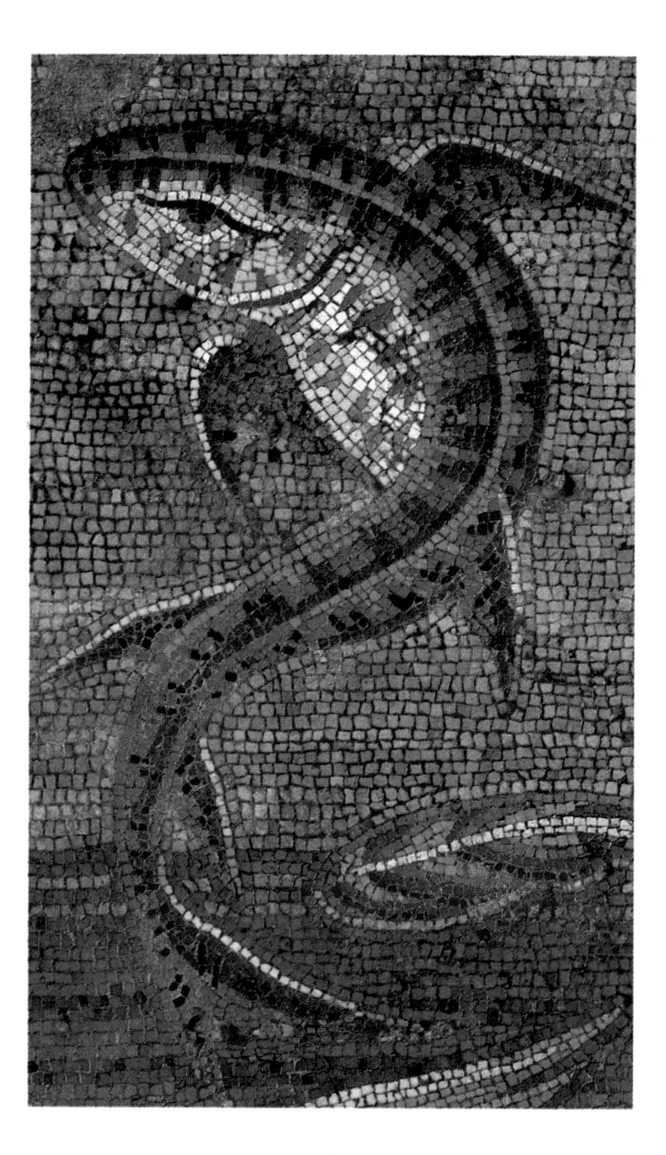

Het leven in de zee
Details.
Mozaïek in de eerste stijl.
Triclinium van het huis
van de Faun, Pompeji.
Napels, Museo
Archeologico Nazionale.

DE GRIEKSE INVLOED OP HET SAMNITISCHE PALEIS

De woningen uit de Samnitische tijd gingen door hun weelde en hun afmetingen steeds meer lijken op paleizen. Als het inderdaad zo is dat er geen grotere luxe bestaat dan het bezit van een ruim huis, dan is Pompeji een toonbeeld van de rijkdom die de Italische wereld in die tijd kende. Het huis van de Faun, dat later zou worden uitgebreid met een tweede, nog groter peristylium, doet in niets onder voor het onderkomen van een vorst. Met zijn 3000 m^2 was het groter dan het paleis van Pergamon, en de enige bouwwerken die het overtroffen, waren het 3300 m^2 grote Zuilenpaleis van de Ptolemeeën in Cyrenaïca (het huidige Libië), de residentie van de gouverneur van Egypte en het paleis van een Macedonische vorst in Pella, dat meer dan 5200 m^2 mat. Hoewel de Pompejaanse woningen uit deze periode binnen een totaal andere maatschappelijke en politieke context vielen, kunnen ze alleen worden vergeleken met dynastieke paleizen en met andere bouwwerken die vorstelijke macht moesten uitstralen.

HET DECORATIEVE BEELDHOUWWERK

De decoraties van de huizen leveren waardevolle informatie over de smaak en de ideologie van deze maatschappij van 'burgervorsten'. De steensoort die het meest werd gebruikt was de grijze tuf uit Nuceria, die even solide en duurzaam was als het harde kalksteen, maar tegelijkertijd ook zacht en bros en dus moeilijk te bewerken. Veel steenhouwers specialiseerden zich in de bewerking van dit plaatselijke materiaal. Zij brachten werk van een grote ambachtelijke en kunstzinnige kwaliteit voort. Al snel vervaardigden ze in serie gecanneleerde zuilschachten en kapitelen ter verfraaiing van woningen van particulieren.

Het vervaardigen van de Dorische kapitelen werd vergemakkelijkt door het gebruik van de draaibank, waarmee op een 'industriële' manier kon worden geproduceerd en de prijzen redelijk konden worden gehouden. Voor de Ionische kapitelen, met voluten, en de Corinthische, die versierd waren met gestileerde acanthusbladeren, waren echter ervaren handwerkslieden nodig. De plaatselijke steenhouwers stonden al snel bekend om hun kundigheid. Zij legden in de Italische regio de basis voor een traditie van vindingrijk en kwalitatief hoogstaand ambachtelijk werk. Getuigen hier-

van zijn twee sfinxen met haast kalligrafisch weergegeven vleugels, die oorspronkelijk vermoedelijk de ingang van een graf hebben bewaakt en vervolgens een nieuwe functie hebben gekregen als decoratie van een villa op het platteland buiten Pompeji. De reeksen figuratieve kapitelen zijn echter het interessantst. Daarbij is, net als bij de openbare bouwwerken, het figuratieve, gebeeldhouwde element geïntegreerd in de architectonische structuur.

DE GESCHILDERDE WANDVERSIERING: DE EERSTE STIJL

Het leven in de zee
Detail.
Mozaïek in de eerste stijl.
Huis VIII, 2, 16, Pompeji.
Napels, Museo Archeologico Nazionale.

De waardevolste bron van informatie over de smaak en de culturele mentaliteit van deze Samnitische patriciërskaste is echter de geschilderde decoratie, die in elk huis op een programmatische manier de ideologie van de opdrachtgever weerspiegelt.

De wandversiering van de Pompejaanse huizen heeft in de loop van de tijd onder invloed van veranderingen in de maatschappij een aanzienlijke ontwikkeling doorgemaakt. August Mau heeft de wandschilderingen verdeeld in vier verschillende stijlen, die verband houden met fasen uit de geschiedenis van de stad. Die van de Samnitische tijd was de eerste stijl, ook wel de 'structurele' stijl genoemd. Het was de internationale taal van die periode, waarvan verschillende kunstvormen in zo ongeveer de hele hellenistische wereld zich bedienden. Deze stijl voldeed in de eerste plaats aan de noodzaak om de wanden, die vaak met onedele materialen en op een weinig verfijnde manier waren gebouwd, aan het gezicht te onttrekken. Hiertoe bracht men er een stuclaag op aan, die vervolgens zo werd beschilderd dat de muur onderdeel leek uit te maken van een doordacht architectonisch geheel en de indruk wekte te zijn opgetrokken uit imposante, zorgvuldig bewerkte blokken steen. Voorbeelden van deze toepassing van de eerste stijl zijn zeker niet voorbehouden aan de huizen van de allerrijksten, wat doet vermoeden dat dit toen in Pompeji de gebruikelijke wandversiering was. Er deed zich echter een volledig nieuw verschijnsel voor. Aanvankelijk hielpen de decoraties bij het creëren van een heus architectonisch systeem, maar vervolgens gingen zij een eigen leven leiden, met een eigen vormentaal, die van organisch steeds abstracter werd, of liever gezegd: die verschoof van illusie naar allusie.

De Pompejaanse kooplieden, die de zeeën van de gehelleniseerde Oriënt bevoeren en in contact kwamen met de kunst en

cultuur van hoogontwikkelde samenlevingen, wilden natuurlijk in de eerste plaats rijk worden van hun handel. Maar naast geld namen ze ook nieuwe gewoonten mee naar huis. Daar bouwden ze de door zuilen omgeven patio's na, en de ruimten waarin men

Kat die een vogel vangt
Mozaïek in de eerste stijl.
Vleugel van het huis van de Faun, Pompeji.
Napels, Museo Archeologico Nazionale.

met vrienden over filosofie discussieerde en urenlang aanlag aan banketten. Ze beschikten over de middelen om hun huizen te vergroten en zodoende de vorstelijke woningen uit de steden die ze aandeden op hun reizen te imiteren. De pracht van het marmer konden ze echter niet evenaren, want marmer werd in die tijd in Italië nauwelijks gevonden en het kon ook niet op grote schaal worden geïmporteerd. Bovendien had men er helemaal geen ervaring met dit materiaal. Toen kwam men op het idee het te imiteren, door het stucwerk te beschilderen in de kleuren en met de vlekken en aderen van serpentijn, pauwoog, cipollijn en tal van andere kostbare marmersoorten. De marmerimitaties vormden samen een streng geometrische compositie, die de muren verdeelde in een donkere sokkelzone, een middenzone van grote marmerplaten en, helemaal bovenaan, horizontaal geplaatste parallellepipeda die hetzelfde materiaal suggereerden als dat van de middenzone. De motieven gingen ook hoeken om en liepen zo van de ene muur door op de andere. Deze eenheid van de omringende ruimte veroorzaakte de vervreemding van de werkelijkheid die ook een kenmerk zou zijn van de latere Pompejaanse stijlen. Boven de blokken van de bovenzone liep dan een – soms sterk uitspringende – kroonlijst van wit stucwerk, en als de muur zeer hoog was, zoals in het huis van Julius Polybius (I, 13, 3), kwam daar nog een hogere orde bovenop, met schijngalerijen geaccentueerd door parastaten of halfzuiltjes van stuc. Deze elementen verleenden de ruimte grandeur door de verticaliteit ervan te benadrukken, en ze completeerden bovendien de werkelijke architectuur. In de twee peristylia van het huis van de Faun zien we hoe de parallellepipeda en parastaten als een fries over de hele lengte van de bovenzone van de wanden lopen. Door het ritmische spel met de zuilen van de zuilenrij, krijgt de ruimte iets wijkends, en dit was een voorbode van de voorliefde voor het trompe-l'oeil die de tweede stijl zou beheersen.

Hetzelfde geldt voor de decoratieve friezen met slingerende wijnranken, die een voortzetting lijken van de weelderige bloemen en planten in het centrale gedeelte van de tuin.

DE VLOEREN EN HUN MOZAÏEKEN

De figuratieve afbeeldingen, waarvoor de architectonische motieven op de muren geen ruimte lieten, weken uit naar de

vloeren. In gewone huizen waren lemen of met lavasteen geplaveide vloeren te vinden, die soms geometrische motieven hadden. In patriciërswoningen werd de vloer echter voorzien van het schitterende *opus vermiculatum*, een van de wonderen uit de

traditie van het helleniserende bouwen. Deze mozaïektapijten hebben fraaie zwart-witte omlijstingen en friezen met rijke en gevarieerde decoratieve motieven. In het midden werden veelkleurige symbolische figuren afgebeeld, soms met steentjes zo groot als een speldeknop, die een schitterend picturaal effect opleverden. Sommige mozaïeken zijn kopieën van beroemde Grieks-Romeinse schilderijen, waarbij men alle kleurschakeringen van het schilderspalet in steen heeft weten na te bootsen.

Ook hiervan zijn in het huis van de Faun de interessantste en beroemdste voorbeelden te vinden. Rijke mozaïeken tooien de vertrekken die gereserveerd waren voor de heer en de vrouw des huizes en hun vrienden. We zien een kat die een vogel verschalkt, een scène uit het leven langs de Nijl, *Dionysus rijdend op een panter* en de magistrale afbeelding van het leven in de zee, waarin een geraffineerd evenwicht is gevonden tussen sterk contrasterende en uiterst delicate kleuren en die een tamelijk volledig overzicht lijkt te geven van de bekendste zeedieren – een absoluut meesterwerk. Aan het eerste peristylium lag de *exedra*, waarvan de ingang wordt gevormd door twee Corinthische zuilen. Dit was de meest prestigieuze ruimte van de woning. Een immens mozaïek van zo'n twee miljoen steentjes, dat de overwinning van Alexander de Grote op Darius bij Issos voorstelt, besloeg ongeveer het hele vloeroppervlak ervan. De dansende bronzen faun, die zo schitterend tot zijn recht komt in het impluvium van het 'openbare' atrium, is een fraai staaltje van Griekse beeldhouwkunst en kan van elders zijn gehaald, maar het buitengewone, opvallend grote en ingewikkelde mozaïek kan nauwelijks ergens anders zijn vervaardigd dan ter plaatse, door zeer gespecialiseerde vaklieden, die speciaal daarvoor uit Alexandrië of van Sicilië waren gekomen. Dit omvangrijke mozaïek, dat de eigenaar van het huis een vermogen moet hebben gekost, is ongetwijfeld een kopie van een beroemd schilderij uit de klassieke tijd. Wij kunnen er iets uit afleiden over het niveau dat de Griekse schilderkunst had bereikt.

Voor de heer des huizes, vermoedelijk een telg van het Saminitische geslacht der Satrii, was dit pronkstuk een middel om zijn vriendenkring ervan te overtuigen hoezeer hij zich de Griekse cultuur had eigen gemaakt en een man van de wereld was, een lid van de maatschappij die zich had gevormd na de veroveringen van Alexander de Grote. Toch was en bleef hij in de ogen van zijn medeburgers in de eerste plaats een magistraat, en dat

Duiven

Details.
Mozaïek in de tweede stijl.
113 x 113 cm.
Huis van het Duivenmozaïek,
Pompeji.

Boven

De filosofen van de Academie

Detail: fries.

Rechterbladzijde

De filosofen van de Academie

Mozaïek in de eerste stijl.
86 x 85 cm.
Villa van T. Siminius
Stephanus, Pompeji.
Napels, Museo Archeologico
Nazionale.

Dit uit kleine, veelkleurige steentjes vervaardigde mozaïek toont Plato (midden) in gesprek met zijn discipelen van de Academie. Op de achtergrond is de Acropolis van Athene te zien. De kleurenpracht van de compositie en de guirlande van vruchten en toneelmaskers eromheen zijn karakteristiek voor de eerste stijl.

moest worden weerspiegeld in de vloerdecoratie in zijn zakelijke ontvangstvertrekken, die van een ander type was.

In het vestibulum, het impluvium en het tablinum liggen geometrische composities met een perspectivisch effect. Voor dit zogenaamde *opus sectile* gebruikte men steensoorten in verschillende kleuren, die in ruiten en driehoeken werden gesneden. De door grotere stenen omlijste en naast elkaar geplaatste polychrome ruiten van leisteen, kalksteen en wit, fijnkorrelig marmer in het tablinum, doen denken aan perspectivisch weergegeven kubussen. Dit type plaveisel, *scutulatum*, was in Pompeji reeds toegepast in de *cellae* van de Apollo- en de Jupiter-tempel. Het is dus niet verrassend het terug te vinden in het vertrek waarin de magistraat, gezeten op zijn troon, zijn cliënten ontving: het verheven karakter van zijn functie was op die manier, ondanks het semi-officiële van de ruimte, onmiskenbaar. De *luxus*, die door de 'weldenkende moralisten' werd gehekeld, werd zo een middel om de waardigheid en de ernst van de macht te onderstrepen en kreeg daarmee een zekere maatschappelijke rechtvaardiging.

Het is geen toeval dat een huis zoals dat van de Faun, dat werd gebouwd volgens in die tijd zeer gangbare opvattingen, uitgerekend in Pompeji stond. De Samnitische maatschappij, die op economisch en politiek gebied flink had geprofiteerd van het bondgenootschap met Rome, was inmiddels danig geromaniseerd. Maar de uitwisseling met de Griekse wereld en cultuur was veel directer en spontaner, en daarvan heeft Rome op haar beurt weer de vruchten kunnen plukken. Dank zij die intensieve uitwisseling zou de ongekende bloei die Pompeji doormaakte in de 2de eeuw, ten tijde van de Samnitische periode, ook na de militaire bezetting door de troepen van Sulla aanhouden.

DE NIEUWE, ROMEINSE MAATSCHAPPIJ

Door architectuur gedomineerd landschap met villa
Detail.

Na de koloniale verovering van 80 v.C. was Pompeji, dat al in hoge mate geromaniseerd was en het Latijn inmiddels als voertaal had, ook bestuurlijk en politiek verbonden met de Romeinse wereld, net als de andere Italische steden. De Romeinse kolonisten namen de belangrijke functies over van de oude plaatselijke patriciërsfamilies, die Sulla uit hun ambten had ontzet. Een passage van Cicero vertelt over de discriminerende praktijken waarmee de nieuwe Pompejanen, die Romeinse burgers waren, in allerlei functies werden aangesteld, steeds ten koste van de oude autochtone families. Op een in het vestibulum van de priester Amandus (I, 7, 7) gevonden muurschildering met een afbeelding van strijders, is naast een man op een paard in het Oskisch, de vroegere taal van Pompeji, de naam te lezen van Spartacus, de gladiator die vanaf de hellingen van de Vesuvius zijn beroemde opstand tegen Rome aanvoerde en wiens wanhopige, vergeefse strijd de hoop op bevrijding van veel Pompejanen had gevoed. De 6000 kruisen die van Capua tot aan Rome langs de Via Appia stonden opgesteld en waaraan de soldaten van zijn leger de marteldood stierven, hadden iedere eventuele hoop nog onder het Romeinse juk uit te komen in rook doen opgaan.

Rome, dat een eeuw tevoren in de verlichte kringen van de Scipio's de respectabele en vastberaden bemiddelaars had gevonden die de deuren van de oude traditioneel-boerse maatschappij hadden weten te openen voor de zoveel geraffineerdere Griekse cultuur, had zich tegen het einde van het republikeinse tijdperk ontwikkeld tot de meest kosmopolitische stad van de wereld, die het inmiddels militair en politiek aan zich had onderworpen.

Voor iemand van buitenaf was het moeilijk de tekenen te herkennen van de plotselinge verandering van de Pompejaanse maatschappij. Deze viel niet alleen maar te verklaren uit veranderende zeden en gebruiken – die nu deel uitmaakten van een gemeenschappelijke traditie. Zoals al eerder ter sprake is gekomen, was het vooral de context waarbinnen die ontwikkeling zich voltrok die een metamorfose onderging.

Huis van de Edelstenen, of van de Kostbare Steen
Overzicht van de villa. 1ste eeuw n.C. Herculaneum.

Een nieuw verschijnsel was de inzet van veel geld om de gunst van de kiezers te verwerven. Zo lieten C. Quintius Valgus en M. Porcius in 70 v.C. op eigen kosten een amfitheater bouwen voor de Pompejanen. Zij waren trouwe bondgenoten van Sulla en beheersten in die tijd het Pompejaanse politieke toneel. Door zich vierkant achter Sulla's beleid te scharen, hadden ze hun eigen belangen in Campanië handig weten te behartigen. Enkele jaren tevoren hadden ze – zij het met geld uit de schatkist – al het odeon laten bouwen. Porcius had bovendien samen met andere magistraten het altaar voor de Apollo-tempel geschonken. Deze vrijgevigheid hing samen met hun taak als censor, waarmee het centrale gezag hen had belast.

De twee magistraten stelden de lijsten op met de namen van degenen die zitting zouden nemen in de senaat van de stad. Daarbij kozen ze vermoedelijk notabelen uit die op de hand waren van Pompejus, die toen in Rome de politieke macht had en van wie ze gunsten terug verwachtten. Voor hun functie was het noodzakelijk dat ze een grote populariteit genoten bij de inwoners van de stad.

De kolonisten werden gevolgd door een groot aantal vertegenwoordigers van de Romeinse aristocratie, die zich in of vlak buiten de stad vestigden. Het vriendelijke landschap van Campanië was voor hen de ideale omgeving voor het 'villa-leven', waaraan men steeds meer waarde ging hechten, omdat het de mogelijkheid bood het *negotium*, het drukke politieke leven in de stad, af te wisselen met *otium*: overpeinzing, conversatie en gezamenlijke maaltijden. Veel van de villa's die de Samnitische aristocratie in de omgeving van Pompeji had laten bouwen, veranderden van eigenaar, van uiterlijk en van omvang. Ook wer-

den er voortdurend nieuwe villa's bij gebouwd. Nu de stadsmuren toch geen functie meer hadden, bouwde men ook op en buiten de wallen op de zuidwestelijke helling, die uitkeek over de weidse Golf van Napels.

Door architectuur gedomineerd landschap met villa

Fresco in de derde stijl.
22 x 53 cm.
Pompeji.
Napels, Museo Archeologico Nazionale.

EEN NIEUW TYPE WONING

De bouwstijl van deze huizen brak met het oude gebruik om atrium, tablinum en peristylium op een centrale as te plaatsen. Het 'villa-leven', waarin een aangenaam verblijf centraal stond, vroeg om een nieuwe indeling en functie van de verschillende vertrekken. Het atrium, dat nu grensde aan de straat, behield omwille van de pracht en praal zijn vorstelijke afmetingen maar raakte zijn rol als middelpunt van het gezinsleven kwijt. Voortaan had het een grote, monumentale ingang, terwijl de woon- en ontvangstruimten, en soms zelfs de slaapkamers, uitkeken op de zee en het platteland. Tuinen werden terrasvormig aangelegd en kregen soms wel vier verschillende niveaus, opdat men optimaal kon genieten van het panoramische uitzicht op de Golf. De meest prestigieuze vertrekken kwamen nu uit op terrassen die lager lagen dan het atrium, dat immers op gelijke hoogte lag met de straat en dus min of meer in contact stond met het drukke stadsleven.

Vrijwel niets herinnerde meer aan het huis met de hoge muren zonder vensteropeningen, dat helemaal naar binnen gekeerd was, naar het gezinsleven. De nieuwe bouwwerken stelden zich met hun loggia's, hun terrassen en hun grote, gewaagde boogvormige vensters helemaal open voor de wonderen van de omringende natuur, die men altijd binnen oogbereik had en waarvan men op elk moment van de dag en vanuit elk deel van het huis kon genieten. De villa's uit regio VIII en de huizen van de *insula occidentalis* zijn goede voorbeelden van deze nieuwe opvatting, met name het buitenhuis van Fabius Rufus (VII, *ins. occ.*, 19), telg uit een van de oudste Romeinse geslachten. Hier zijn de stadsmuren gebruikt als fundament, om het huis verder boven het omringende panorama uit te tillen. De imposante gevel aan de zeezijde telt verschillende verdiepingen. Aan het einde van de tuin is een dienstingang, die met trappen en oprijlanen is verbonden met het huis zelf en waardoor men komend van de haven rechtstreeks toegang had tot villacomplex, zonder eerst over straat te hoeven. De hoofdingang, aan een straatje niet ver van het forum, ligt op het hoogste niveau en geeft toegang tot een weelderig atrium, waar geen woonvertrekken omheen liggen. Vanuit het straatje is van het huis niets anders te zien dan een lange, blinde buitenmuur, waarin alleen nog een tweede dienstingang is uitgespaard, die via een lange gang langs de bui-

Boven

Villa aan zee

Fresco in de vierde stijl.
25 x 25 cm.
Stabiae.
Napels, Museo Archeologico Nazionale.

Vorige bladzijden

Huis van de Herten

1ste eeuw n.C.
Herculaneum.

Terras met kiosk, met uitzicht op de zee.

tenmuur naar de dienstvertrekken leidt. De ontvangstruimten liggen ten oosten van het atrium, terwijl in het verlengde daarvan, op de plaats waar zich vroeger het tablinum en de woonvertrekken zouden hebben bevonden, een reeks kamers ligt die uitkijken op een terras aan de zeekant.

Op de eerste verdieping daaronder liggen verschillende vertrekken, slaapkamers en appartementjes, die allemaal uitkomen op een terras dat doet denken aan een hangende tuin en dat uitzicht biedt op de zee. Hier ligt ook de belangrijkste salon van het huis, met een grote exedra met zetels waarin men kon plaatsnemen om te converseren. Vanuit een andere, grotere tuin, die aan de voet van de muur lag, buiten de stad, keek men uit over een bloemenweelde en rustgevend groen, dat in de verte overging in het diepe blauw van de Middellandse Zee.

In Herculaneum zijn in die tijd op het terras dat over de muren heen uitkijkt op de zee een paar vergelijkbare huizen gebouwd, waarvan dat van de Herten het opmerkelijkst is. Voor de indeling van de woning was ook hier de as ingang-atrium bijzaak geworden: bepalend was nu het uitzicht op de zee. Een gang verbond het atrium met het deel van de woning dat het werkterrein was van het personeel. De plaats van het tablinum was ingenomen door een groot *triclinium*, dat de traditie van de grote praalvertrekken inluidde. De ligging hiervan werd niet meer bepaald door die van de ingang, maar door de lengte-as van de woning. Op deze as lagen verder nog een immense, door overdekte zuilengangen omgeven tuin en een luisterrijke salon met een loggia, die een panoramisch uitzicht bood. In deze loggia, de zogenaamde *diaeta*, stond te midden van het groen een grote pergola, van waaruit de bezoeker kon genieten van het landschap.

De vroegere tuin met zuilenrijen werd nog helemaal omgeven door de strakke lijnen van het huis, maar in de nieuwe manier van bouwen werden de rollen omgedraaid en was het juist de natuur die, met haar prachtige panorama's, het huis omvaamde en helemaal in zich opnam.

DE VILLA

Met de opkomst van de villa *extra muros* ging het landschap een toonaangevende rol spelen in de architectuur. In de omgeving van Pompeji werden veel 'zee-villa's' gebouwd, die hun bestaan vooral dankten aan het fraaie uitzicht dat de lokatie bood over de Golf van Napels. Voorbeelden van dit type zijn te vinden op de heuvel van Varano, in Stabiae, in Oplontum, waar Nero's vrouw Poppaea Sabina een woning bezat die exemplarisch was voor het genre, en in Herculaneum, waar ruim 250 m boven de kust de spectaculaire villa van de Papyrusplanten ligt. Maar het ging niet iedereen om het uitzicht op de zee. Op de vruchtbare vlakte en het glooiende terrein aan de voet van de Vesuvius, te midden van wijngaarden, boomgaarden en velden, lagen ook tal van villa's die tevens landbouwbedrijf waren. Het boerderijgedeelte – waar het werk werd gedaan door slaven – vormde een harmonisch geheel met het gedeelte dat was gereserveerd voor het *otium* van de eigenaars. Deze hoeven waren vaak toonbeelden van luxe. Ze waren voorzien van zuilengangen, die hier geen tuin omsloten maar rechtstreeks leidden naar de velden of naar fraaie uitkijkpunten, *diaetae*, *cryptoportici* (overdekte, in de grond uitgegraven wandelgangen, waarin het ook tijdens de warmste zomerse uren koel bleef), *exedrae* en allerlei grote en kleine vertrekken, waarvan het gebruik samenhing met temperatuur, moment van de dag en tijd van het jaar.

DE ONTWIKKELING VAN DE STADSWONING

De huizen die de rijke Pompejanen in de stad bewoonden, weerspiegelden het nieuwe ideaal van de Romeinse burger. Het hellenistische paleis was niet langer het grote voorbeeld: men liet zich nu inspireren door de villa. Wanneer het maar mogelijk was, breidde men de woning uit met belendende huizen, die dank zij ingrijpende verbouwingen in het geheel werden opgenomen of er als afzonderlijke vleugels bij werden getrokken. Dit gebeurde bij onder andere het huis van het Schip (I, 15, 1-3), dat van Menander (I, 10, 4), van de Vergulde Cupido's (VI, 16, 7), van Ariadne (VII, 4, 31-51) en dat van de Cryptoporticus (I, 6, 2). Misschien wel het mooiste voorbeeld van dit type woningen is het huis van de Citerspeler (I, 4-5, 25-28), dat na verschillende keren met aangrenzende gebouwen te zijn uitgebreid uiteindelijk een oppervlakte had van 2300 m^2 en twee atria en drie peristylia telde.

Elders, zoals in het huis van de Zilveren Bruiloft (V, 2, 1), werden boven op de vertrekken rondom het atrium verdiepingen voor het personeel gebouwd. Steeds meer huizen in de stad werden bovendien voorzien van het moderne comfort van de villa's. Zo kregen veel patriciërswoningen, waaronder het huis van Menander en dat van de Cryptoporticus, een eigen badinrichting. Daar kon men zich in alle beslotenheid ontspannen, ver

Boven

Nis voor de laren

1ste eeuw n.C.
Pompeji.

Linkerbladzijde

Muren

Boven

Opus quasi reticulatum, 'bijna netvormig': de grovere variant van het *opus reticulatum*.
Begin van de 1ste eeuw n.C. Pompeji.

Midden

Opus latericium: muur van bakstenen in verschillende kleuren, die hier een rond patroon vormen.
1ste eeuw n.C. Pompeji.

Onder

Opus reticulatum: vierkante blokjes tufsteen werden diagonaal op elkaar gemetseld, zodat ze een netvormig ('reticulatum') patroon vormden.
Einde van de 1ste eeuw n.C. Pompeji.

van de mensen en de drukte in de openbare badhuizen, waar het ondanks de nieuwe thermen bij het forum nog steeds altijd spitsuur was.

WAND- EN VLOERDECORATIES: DE TWEEDE STIJL

Rechterbladzijde

Allegorie van de dood

Mozaïek in de tweede stijl.
47 x 41 cm.
Triclinium van de werkplaats I, 5, 2, Pompeji.
Napels, Museo Archeologico Nazionale.

De muurschilderingen uit die tijd illustreerden de geraffineerde levensstijl die bij het villa-leven hoorde en die in Rome inmiddels van een mode was uitgegroeid tot een passie. De Romeinse aristocratie bracht een nieuwe picturale stijl mee naar Pompeji, die kenmerkend werd voor deze periode, net als de bouw in *opus reticulatum*, waarbij vierkante blokjes tufsteen diagonaal op elkaar werden gemetseld, zodat een netvormig patroon ontstond.

De wortels van de tweede stijl liggen in de gehelleniseerde Oriënt. In de Romeinse wereld haakte deze stijl in op de tendenzen die de architectuur van de eerste stijl al had aangekondigd. De wandschildering was het enige genre waarvan de tweede stijl zich bediende. De muren werden voorzien van geschilderde zuilen, zuilengangen en *aediculae*, die de illusie wekten dat de ruimte niet ophield bij de muur. De muur zelf verdween haast: hij werd aan het oog onttrokken door geschilderde architectonische doorkijkjes en ruimten vol mensen, dieren, schilderijen en symbolische voorwerpen. Soms werden er zelfs kleine theaters afgebeeld, waarin acteurs op ware grootte de geheime mysteriën uitbeeldden, of scènes die op de bezoeker van nu, hoe nuchter of blasé hij ook mag zijn, zullen overkomen als allegorieën van het leven zelf. De fascinerendste voorbeelden van de enorme picturale en iconografische rijkdom van deze schilderkunst, die door Vitruvius zeer gewaardeerd werd en die hij omschreef als 'de afbeelding van dat wat is of kan zijn', vormen de schilderingen in de villa in Oplontum en de immense cycli in de villa van Fannius Sinistor in Boscoreale en in de salon van de villa van de Mysteriën.

De Pompejanen waren nu op papier en in praktijk Romeinse burgers, en ze wilden zich de cultuur en de ideologie van de hoofdstad van de wereld zo snel mogelijk eigen maken. Hiertoe lieten ze zich inspireren door de artistieke voorbeelden die de Romeinse, kosmopolitische aristocratie meenam naar de landelijke omgeving die haar favoriete vakantieoord was geworden.

Onder

Gipsen afgietsel van een slachtoffer van de uitbarsting van de Vesuvius

Pompeji.

Op de lichamen van de slachtoffers daalde gloeiende as neer, die hen omsloot als een soepele handschoen en zich vormde naar hun kleding, hun gelaatstrekken en zelfs hun gezichtsuitdrukking. De afgekoelde en gestolde as vormde een compacte, stevige massa, waarin de vorm bewaard bleef van de lichamen, die het normale ontbindingsproces van organische stoffen doormaakten en waaraan in de tuflaag al gauw niets anders meer herinnerde dan holle ruimten.
Door gips in de holten te gieten kan men er afgietsels van maken.

Zittende matrone
Fresco in de tweede stijl.
170 x 96 cm.
Villa van de Mysteriën, Pompeji.

Dit is het beroemdste werk van de hele Romeinse schilderkunst. Het stamt uit de 1ste eeuw v.C. en maakt deel uit van een cyclus die de viering van een Dionysisch mysterie voorstelt. Deze dame zou de vrouw des huizes kunnen zijn of de priesteres van Bacchus. Het fameuze 'Pompejaanse rood' werd bereid met kostbare menie.

Men breidde de techniek van het 'illusionistisch realisme' uit met geschilderde architectuur, podia, sokkels en colonnaden, om de ruimte groter te laten lijken. Nu bood de muur, die met al die nagebootste architectonische elementen zelf leek te verdwijnen, ineens een blik op een ruimte achter zichzelf. Door de smalle ruimten tussen de panelen die de voorgrond van de wand vormden, waren rijen zuilen of bouwwerken te zien, of doorkijkjes naar de horizon. Met deze picturale fictie stelde het beschilderde vertrek zich open voor de buitenwereld, die zo het huis binnenkwam en de mijmerende blik als door het venster van een villa panorama's toonde waarin zich op serene, milde en onschuldige wijze het schouwspel van het leven afspeelde.

Nu het figuratieve element zich op de muur ontvouwde, in landschappelijke taferelen achter fictieve deuropeningen of met dieren en voorwerpen die, vermoedelijk met allegorische bedoelingen, waren ondergebracht in architectonische composities, zag men af van een figuratieve decoratie van de vloeren. Hiervoor in de plaats kwamen geometrische, soms polychrome composities met fijne vlechtmotieven, festoenen en kubussen, waarbij men echter ook weer een driedimensionaal effect beoogde.

DE ZUILENZALEN

Tegelijkertijd kreeg de werkelijke ruimte een steeds majestueuzer aanzien. In deze maatschappij, waarin iedereen verbeten om zijn plaats streed, werd luxe een maatschappelijke noodzaak. De salons van de patriciërswoningen, zoals de huizen van het Labyrint, de Zilveren Bruiloft en Meleager (VI, 9, 2), werden verfraaid met een woud van zuilen – echte deze keer, die een perspectivisch spel speelden met de geschilderde architectonische elementen. Deze *oeci*, ontvangstzalen, kregen een officieel karakter. Zij moesten respect afdwingen en de plechtige sfeer ademen van de basilica, in de Romeinse wereld het eerbiedwaardigste van alle openbare gebouwen. Zo verwees het interieur van de woning naar het openbare leven van de eigenaar ervan, die, naar het voorbeeld van de Grieken, graag overkwam als een verfijnde, beschaafde geest en nooit de zware, kostbare verplichtingen uit het oog verloor die de functies die hij in het belang van de gemeenschap bekleedde hem oplegden.

DE TUFSTENEN SCULPTUREN

De steenhouwers van de nieuwe generatie bleven trouw aan de oude plaatselijke tuf-traditie, die van Griekse oorsprong was. Zij vervaardigden de schitterende knielende telamons aan de onderkant van de muren die de *cavea* van het odeon, ofwel het kleine theater, begrenzen, evenals de twee gevleugelde poten van wilde dieren die met haast kalligrafische precisie zijn uitgehouwen in de beide uiteinden van de balustrade die de *proedria* scheidde van de cavea. Het beeldhouwwerk fungeerde als complement van de architectuur, zoals ook te zien is aan de machtige telamons van terracotta die met hun boven het hoofd gevouwen armen de architraaf van het gewelf in het *tepidarium* van de thermen van het forum schragen en tegelijkertijd – en met een fraai *clair-obscur*-effect – dienen als omlijsting van een reeks nissen langs de wanden.

DE LITERAIRE CULTUUR

In de loop van de koloniale periode slaagde Pompeji erin volledig geïntegreerd te raken in de Romeinse wereld. Rome en Pompeji raakten cultureel en ideologisch zo nauw verbonden, dat de kennis die de archeologische opgravingen hebben opgeleverd en de informatie uit literaire bronnen elkaar in de loop der eeuwen hebben verduidelijkt. Veel van wat wij weten van het leven, de kunst en het gedachtengoed van de Romeinen is onlosmakelijk verbonden met de herontdekking van Pompeji in de moderne tijd.

Zo zijn er op de muren van het odeon graffiti in dichtvorm aangetroffen van iemand die zelfs zijn naam heeft achtergelaten: Tiburtinus. Deze in het Latijn gestelde verzen, die verspreid zijn genoteerd en misschien deel uitmaken van één enkel, groter gedicht, zijn voor ons van groot belang, hoewel de ware dichter er niet uit spreekt. Ze sluiten aan bij de hellenistische dichterlijke traditie, vooral die uit Alexandrië, waaraan ze hun poëtische structuur, lyrische motieven en literaire voorbeelden hebben ontleend. Tibertinus stortte zich, met de beperkte middelen van de amateur, in hetzelfde poëtische onderzoek dat in Rome de *neoterici*, de 'nieuwe dichters', zou voeren naar de grote herontdekking van de Griekse lyriek en waaruit de sublieme gedichten van Catullus zouden voortkomen.

Tiburtinus liet op een Pompejaanse muur een 'wanhoopskreet' achter:

'Wat is er gebeurd? Sinds jullie, mijn ogen, me met geweld het vuur in hebben gesleept,
zijn jullie wangen gegroefd door stromen.
Maar de tranen slagen er niet in de vlam te doven.
Ze verspreiden zich over jullie gezicht en de geest wordt troebel.'
'Als je de macht kent van de liefde,
als in je borst een menselijk hart klopt,
heb dan mededogen met mij, laat me bij je komen.'

'Caesia...
eet, drink, heb plezier...
maar niet altijd...'

Deze smekende verzen zijn de echo van een ongelukkige liefde, en de schrijver ervan lijkt de hoop al te hebben opgegeven. Op het moment dat ze aansporen tot de genoegens van het leven, verzinken ze in een grote melancholie, die is ingegeven door hetzelfde besef van de tijdelijkheid van alles dat hen op deze voor de tand des tijds gespaard gebleven muur heeft doen belanden.

Personificaties van Perzië en Macedonië

Details.
Fresco in de tweede stijl.
200 x 325 cm.
Villa van Fannius Sinistor, Boscoreale.
Napels, Museo Archeologico Nazionale.

De betekenis van dit meesterwerk uit de Pompejaanse schilderkunst is nog altijd onduidelijk. Sommigen zien er twee vrouwen in, die personificaties zijn van Macedonië en Perzië. De gewapende vrouw (detail links) is dan het glorïerende Macedonië en de zittende, nadenkende, het verslagen Perzië. Volgens anderen stelt dit fresco de Macedonische koning Antigonus Gonatas voor, met zijn moeder Philas.

DE EERSTE KEIZERTIJD: EEN GOUDEN TIJD

Kop van de speerdrager
Brons. Door Apollonios van Athene gesigneerde kopie van een Grieks origineel van Polykleitos.
Tijd van Augustus.
Hoogte: 54 cm.
Villa van de Papyrusplanten, Herculaneum.
Napels, Museo Archeologico Nazionale.

Linkerbladzijde
Hardloper
Brons. Romeinse kopie van een Grieks origineel uit de 4de eeuw v.C. 1ste eeuw v.C. of 1ste eeuw n.C.
Hoogte: 118 cm.
Villa van de Papyrusplanten, Herculaneum.
Napels, Museo Archeologico Nazionale.

Na de woelige periode van de burgeroorlogen, toen de Romeinse legioenen onderling de ene slag na de andere leverden op een schaakbord dat zo groot was als de wereld, konden de deuren van de Janustempel op het Forum van Rome, die al die tijd symbolisch open hadden gestaan, eindelijk weer worden gesloten. Met het begin van de keizertijd zou eindelijk een tijdperk van vrede aanbreken. De bittere haat, die zelfs binnen families leefde tussen de aanhangers van Caesar en de aanhangers van Pompejus, was tot bedaren gekomen, en de tijden van samenzweringen en aanslagen waren definitief voorbij. Na de nederlaag die Marcus Antonius in 31 v.C. leed in de slag bij Actium was Octavianus de absolute triomfator. De wereld behoorde hem toe, en de Romeinse senaat, die diezelfde wereld graag in zijn handen wilde leggen, smeekte hem dat te aanvaarden. Iedereen was uitgeput. Het was in ieders belang zo snel mogelijk een einde te maken aan de sfeer van interne strijd. Octavianus, die zijn naam veranderde in Augustus, was de enige die in staat was de talrijke veroveringen van de almachtige Romeinse legers te consolideren. Eindelijk schiep een duurzame vrede de voorwaarden voor een nieuwe periode van grote bloei.

De terugkeer naar een mythische gouden tijd, waarin volgens de keizerlijke propaganda weer voor iedereen plaats zou zijn, betekende dat men zich eindelijk kon wijden aan de opbouw van een betere wereld. Er werden onmiddellijk grootscheepse openbare werken op touw gezet. De steden die het nauwst in contact stonden met Rome voelden de welvaart die de eerste jaren van de keizertijd het hele schiereiland brachten het eerst.

De keizerlijke propaganda werd deels verzorgd door hofdichters, en het is interessant om te zien hoe populair die waren in Pompeji, waar hun verzen de inspiratiebron waren voor vele graffiti op de muren. Vooral Vergilius werd vaak geciteerd, en soms ook geparodieerd: zijn werk werd vermoedelijk op de scholen onderwezen, opdat ook de jonge generatie er kennis van nam.

Boven

Privé-fontein

Veelkleurig inlegwerk. 1ste eeuw n.C.
Huis van de Kleine Fontein, Pompeji.

Deze fontein, die door zijn vorm doet denken aan een grot, staat tegen de achtermuur van de tuin en is versierd met muurschilderingen in de vierde stijl van schitterende landschappen. Voorts is de fontein versierd met schelpen. Op de grond staan twee bronzen beeldjes – een amor en een visser. De originelen hiervan bevinden zich in het museum in Napels.

Rechterbladzijde

Kinderen met gans en druiventrossen

Brons. 1ste eeuw n.C.
Huis van de Vettii, Pompeji.

NIEUWE SOCIALE ELEMENTEN

In die tijd trokken steeds meer mensen vanuit verre steden naar de hoofdstad van het Imperium. De nieuwelingen werden gedreven door de hoop fortuin te maken in de handel, of ze hadden culturele of sociale motieven. Rome telde al vele, op markten in het Oosten gekochte of als oorlogsbuit meegenomen slaven, en groeide nu zonder enige twijfel uit tot de meest heterogene en kosmopolitische stad uit de geschiedenis van de mensheid.

De ligging van Pompeji, aan de Golf van Napels, was ideaal. Het keizerlijke hof en de Romeinse aristocratie brachten hun vakanties door in fabelachtige villa's langs de kuststrook, die liep van Capri en het *Promontorium Minervae* (nu de Punta Campanella, vlak bij Sorrento) tot Baia. Dank zij zijn haven vormde Pompeji een belangrijk verkeersknooppunt en lag het op de weg van al die mensenstromen. Voordat de haven van Ostia werd aangelegd, was Pozzuoli de belangrijkste tussenhaven voor de handelswaar die bestemd was voor Rome. Maar zoals Strabo, de Griekse geograaf uit de tijd van Augustus, al opmerkte, had Pompeji met zijn ligging halverwege de Golf en aan de rand van de vlakte, de mogelijkheid een zeer rijk achterland te bedienen, met welvarende steden als Nola, Nuceria en Acerra. Dit maakte Pompeji tot bruggehoofd in de handel tussen Campanië en de Oriënt, met name Egypte en Alexandrië.

De betrekkingen tussen Pompeji en Alexandrië waren al sinds de Samnitische tijd heel intensief, zoals blijkt uit het feit dat er naast het grote theater al aan het einde van de 2de eeuw een aan

Isis gewijde tempel werd gebouwd, waar het reinigingswater uit de Nijl werd bewaard. In dezelfde tijd vestigde zich aan de voet van de Vesuvius een Alexandrijnse gemeenschap. Augustus' verovering van Egypte hernieuwde het belang van deze betrekkingen. Uit Alexandrië kwamen niet alleen kunstwerken en parfums, maar ook de voorraden tarwe waaraan het Romeinse Rijk zo'n behoefte had. Deze bloeiende havenstad, waar talloze schepen aanlegden en de meest uiteenlopende handelaren hun factorij hadden, moet het toneel zijn geweest van een continue, goed georganiseerde handel.

De voor het merendeel Griekstalige vreemdelingen, die in de keizertijd in steeds groteren getale naar Pompeji kwamen, veranderden en vergrootten met name de sociale structuur en de economische activiteit van de stad. Om een idee te krijgen van de omvang van het uit de hellenistische wereld afkomstige deel van de bevolking, hoeven we maar te kijken naar de namen van degenen wier verblijf in Pompeji werd geregistreerd of naar de talloze graffiti in het Grieks of doorspekt met Griekse uitdrukkingen.

De gelederen van de oude Samnitische families, die hun rijkdom niet zozeer hadden vergaard in de handel als wel in het landbouwbedrijf, werden versterkt door een nieuwe economisch sterke categorie van vooral vrijgelaten slaven, die rijk waren geworden in de handel, de seculiere bouwwereld of de 'industrie'.

Linkerbladzijde

Decoratieve elementen in het atrium
1ste eeuw n.C.
Huis van Obellius Firmus, Pompeji.

Marmeren tuinmeubilair. Bij het impluvium staan een tafel en een *cartibulum*, een tafel met een cilindervormig voetstuk, waarop een fonteintje in de vorm van een sater stond.

Volgende bladzijden

Tuin en peristylium
1ste eeuw n.C.
Huis van de Vettii, Pompeji.

De marmeren en bronzen tuindecoraties die bij deze woning zijn gevonden, vertellen ons veel over de Pompejaanse smaak. Bekkens, beelden, fonteinen en tafels staan verspreid over het verharde gedeelte van de tuin en langs de zuilengang, waar andere fonteintjes het geheel tot een nog grotere lust voor het oog maakten.

DE WONINGEN VAN DE MIDDENKLASSE

Het is maar goed dat we ons aan de hand van talrijke eenduidige schriftelijke bronnen een tamelijk nauwkeurige voorstelling kunnen maken van de manier waarop het werkende deel van de bevolking vanaf het begin van de keizertijd woonde en leefde, want de archeologie is op dit vlak weinig instructief. Dit komt doordat de huizen waarin het bescheidener deel van de Pompejaanse bevolking in de voorafgaande perioden woonde, juist omdat het relatief eenvoudige bouwwerken betrof, voortdurend ingrijpende wijzigingen hebben ondergaan. Iedere poging er tussen de goed geconserveerde resten van de stad sporen van terug te vinden, is dan ook eigenlijk een hachelijke onderneming.

De middenklasse beschikte vanzelfsprekend over beperkte middelen, maar kwam niettemin graag respectabel over. De verte-

Rustende Hermes
Brons. Romeinse kopie van een Grieks origineel van Lysippos. 1ste eeuw v.C. of 1ste eeuw n.C. Hoogte: 115 cm.
Groot peristylium van de villa van de Papyrusplanten, Herculaneum. Napels, Museo Archeologico Nazionale.

genwoordigers ervan bewoonden daarom bij voorkeur een atriumhuis, hoe klein ook. Het huis van Amandio (I, 7, 3) slaagt er zelfs in op een oppervlakte van amper 127 m^2 de illusie van een heuse tuin te creëren. Van de huizen tussen de 120 en 150 m^2 hebben er tien een atrium. Van de huizen met dezelfde oppervlakte, maar die een extra verdieping en een andere indeling hebben, zijn dit er 29, en van alle huizen tussen de 50 en 150 m^2 zijn het er 83.

Dit waren de huizen van mensen wier sociale functie geen praalvertrekken vergde en die hun woonruimte dus konden indelen zoals het hun zelf het beste uitkwam. Soms lagen ze in het binnenste van een groot huizenblok en waren ze, bij gebrek aan een gevel, door middel van een lange gang verbonden met de straat. Hun plattegrond kon zeer grillig zijn. Als bron van licht en lucht diende een binnenplaats, maar het kwam ook wel voor dat de woonvertrekken gerangschikt waren rondom een centrale tuin. Bepalend voor de functie en het gebruik van de ruimte, waren de behoeften en de wensen van de bewoners, en niet hun maatschappelijke status.

De huizen zonder atrium waren lang niet altijd kleiner. Veel ervan konden zich qua oppervlakte meten met de huizen met atrium, en sommige besloegen wel 600 tot 800 m^2. Als ze aan de achterzijde ook nog een lap grond hadden, konden ze zelfs 1000 tot 1500, en in een enkel geval 2500 m^2 meten.

Grote huizen zeiden dus wel iets over de economische situatie van de eigenaars, maar waren niet langer automatisch een statussymbool. Zonder al te voor de hand liggende parallellen te willen trekken tussen type en oppervlakte van de huizen en de sociale positie van de eigenaars, kunnen we stellen dat dit verschijnsel samenhing met de toevloed van nieuwelingen, die zich gedurende de hele eerste periode van de keizertijd in Pompeji kwamen vestigen. Deze vreemdelingen en vrijgelatenen arriveerden met bescheiden sociale ambities en werden opgenomen in de klasse van ambachtslieden, boeren en kleine kooplieden.

Men bouwde ook de hoogte in, door een verdieping boven op bestaande woningen te zetten. Dit was al begonnen ten tijde van de Republiek, maar in de tijd van Augustus werd het een steeds gebruikelijkere methode om ruimte te creëren. De extra verdieping was vaak een uitbreiding van de oorspronkelijke woning – al dan niet met atrium – en voorzag dan in de behoeften van de *familia*. Zij kon echter ook bestaan uit één of meer *cenacula*, onaf-

Pseudo-Seneca

Bronzen buste. Romeinse kopie van een hellenistisch origineel.
Tussen de 2de eeuw v.C. en de 1ste eeuw n.C.
Hoogte: 33 cm.
Groot peristylium van de villa van de Papyrusplanten, Herculaneum.
Napels, Museo Archeologico Nazionale.

Aan deze buste van een onbekende is men in de loop van de tijd de trekken van Seneca gaan toeschrijven.

De danseressen

Brons. Midden van de 1ste eeuw v.C.
Hoogte: 153, 155, 151, 150 en 146 cm.
Villa van de Papyrusplanten, Herculaneum.
Napels, Museo Archeologico Nazionale.

De vijf jonge vrouwen die verspreid langs de *euripus*, het kanaal in de tuin, staan, worden 'danseressen' genoemd. Waarschijnlijker is echter dat het *hydrophorai* zijn, waterdraagsters. Deze bronzen beelden zijn plaatselijke kopieën van Griekse modellen uit de klassieke tijd.

hankelijke appartementjes, die via een trap in verbinding stonden met de straat of een binnenplaats. Dit type woning, dat in het centrum van de stad veel voorkwam en uit twee of drie achter elkaar liggende vertrekken bestond – onderling meestal verbonden door een houten galerij of balkon – werd vaak verhuurd, en de huurders hadden er comfortabele woonruimte aan. Ondanks hun grote aantal zijn maar weinig woningen van dit type integraal bewaard gebleven: van de meeste zijn de daken en vloeren bezweken onder het gewicht van de lapilli uit de Vesuvius. In de ruïnes ervan zijn vaak nog sporen te zien die wijzen op grote luxe, zoals gleuven die in de wanden waren aangebracht voor de bedden, decoratieve muurschilderingen en behoorlijke afmetingen. Ook uit het feit dat er vrij veel licht binnenkwam, is af te leiden dat de eigenaars 'nette' appartementen hebben willen verhuren. In de *insula Arriana Polliana*, waar onder andere het huis van Pansa (VI, 6, 1) staat, een van de grootste *domus* uit de Samnitische tijd, is een kleine mededeling gevonden waarmee cenacula te huur werden aangeboden. De logementen worden erin aangeduid als '*equester*': een ridder waardig. Dergelijke aanprijzingen kunnen over het algemeen natuurlijk niet blind worden geloofd, en bovendien ontbreken sporen aan de hand waarvan we zouden kunnen beoordelen of de omschrijving gegrond was, maar we kunnen er wel uit concluderen dat woningen van dit type niet de minst comfortabele zullen zijn geweest.

Minder stijlvol was de *pergula*, een insteekkamer of bel-etage, die over het algemeen van hout was en boven een winkel, een *taberna*, lag, waarmee zij was verbonden door een kleine binnentrap. Hier trok de neringdoende zich aan het eind van de werkdag terug voor de nacht. Deze minuscule kamertjes waren maar een paar vierkante meter groot, ze boden beschutting aan de minst welgestelden, dus velen. De winkel zelf, die overdag over de hele breedte geopend was naar de straat teneinde de passanten een zo goed mogelijke blik op de koopwaar te gunnen, werd 's avonds afgesloten met planken, die in gleuven in de onder- en de bovendorpel werden geschoven en waarin een deurtje was uitgespaard waardoor men naar binnen en naar buiten kon. Zo was de winkel in een handomdraai te veranderen in een woning, met de insteekkamer boven, waarin men sliep op een mat of een matras, als slaapvertrek.

De Pompejanen die niet beschikten over een keuken, konden

Villa van de Papyrusplanten

De villa van de Papyrusplanten, die niet ver van Herculaneum aan de kust ligt, is exemplarisch voor de vakantie-villa's die de Romeinse aristocratie tegen het einde van de republikeinse tijd liet bouwen. Deze villa bezit een uitgebreide bibliotheek van filosofische, met name Epicurische werken. In de staatsievertrekken en de twee peristylia stonden talrijke beelden, waarvan er 58 van brons waren en 21 van marmer. Ze geven een duidelijk beeld van de smaak en voorkeuren van de beschaafde Romeinse kringen uit die tijd.

eten in de vele *thermopolia*, *osteria* en *cauponae*, of aan de tafel van een van de 'nouveaux riches', die hun pas verworven welstand graag toonden en zich pleegden te omringen met een zwerm tafelschuimers. Een uitnodiging voor een warme maaltijd was gemakkelijk te regelen. Twee in de basilica aangetroffen graffiti geven een idee van de omvang van de jacht op uitnodigingen, die voor velen niet alleen een plezierige gemeenschappelijke maaltijd betekenden, maar ook deel uitmaakten van de dagelijkse overlevingsstrategie. 'Gezondheid voor degene die me uitnodigt voor de lunch,' zegt de ene tekst. De andere klaagt een gastheer aan die zijn belofte niet is nagekomen: 'Wat een botterik is die Lucius Istacidius toch, die me niet uitnodigt voor het diner!'

Voor ambachtslieden en kleine kooplieden bestond er nog een type woning waarin wonen en werken werden gecombineerd. Het winkelhuis was minder klein en iets comfortabeler dan de pergula en leende zich daardoor beter voor het gezinsleven. Ook hier was de voorzijde helemaal geopend naar de straat, maar achter het winkelgedeelte lagen één of meer vertrekken, vaak met een verdieping erboven, en soms zelfs een binnenplaats voor licht en lucht. De winkelwoningen lagen vooral in het centrum en aan de drukste straten. Men moet dit type in de Samnitische tijd al hebben gekend, hoewel zoals gezegd geen van de bewaard gebleven huizen uit die tijd stamt.

Vaak zijn in één blok voorbeelden te vinden van verschillende van de hierboven beschreven woningtypen. Indrukwekkende atrium-huizen staan dan tussen pergulae, winkelhuizen en cenacula, zodat één buurt verschillende sociale lagen kende, met elk hun eigen levensstandaard.

Rechterbladzijde

Blauwe vaas

Volgens de camee-techniek bewerkt glas. 1ste eeuw n.C.
Hoogte: 32 cm.
Graf aan de Via dei Sepolcri, Pompeji.
Napels, Museo Archeologico Nazionale.

Onder

Vuurpot met komische maskers

Brons. 1ste eeuw n.C.
Hoogte: 25 cm, lengte: 61,5 cm, breedte: 38 cm.
Herculaneum.
Napels, Museo Archeologico Nazionale.

DE UITBREIDING VAN DE PATRICIËRSWONING EN DE TUIN

De opmerkelijkste vernieuwingen in de woningen met atrium en peristylium van de hogere klassen waren het decoratieve gebruik van marmer, dat sinds het uit de groeven van Luni werd gehaald in overvloed naar Campanië kwam en uiteindelijk alle impluvia van Pompeji zou bekleden, en stromend water. Het water bereikte Pompeji via het aquaduct van Serino. Overal op straat kwamen openbare fonteinen te staan, die voorzagen in de waterbehoefte van de Pompejanen wier huizen niet waren uitgerust met putten waarin regenwater kon worden opgevangen. Atrium-huizen van eigenaars die zich de onkosten konden permitteren, werden aangesloten op het aquaduct.

Ook de irrigatie werd nu gemakkelijker. Er ontstond een ware wedijver in het verfraaien van de tuinen. In die van Julius Polybius zijn de wortels gevonden van vier grote fruitbomen. Bomen waren de basiselementen voor de compositie van de oudste tuinen, en men heeft ze hier vermoedelijk laten staan om te tonen hoe oud het geslacht was en hoe lang het deze grond al in zijn bezit had. Inmiddels waren gazons in de mode gekomen, en men ging ertoe over de planten zodanig te rangschikken dat de bloeiperioden elkaar zo harmonieus mogelijk opvolgden.

FONTEINEN EN NYMFAEA

Het stromend water kwam als geroepen voor de Pompejanen die, zo goed en zo kwaad als dat ging in een stedelijke omgeving, de luxe en het comfort van de villa's uit de omgeving probeerden te imiteren. Keizers en edelen verbleven in de zomer in *nymfaea*, op het esthetische genot ingerichte grotten, die veelal in de buurt van de kust lagen. Omgeven door kabbelend, helder bronwater en fraaie beelden en anderssoortige kunstwerken, vergat men hier de ongemakken van de middaghitte. De Grotta Azzurra en Matromania op Capri en die in Sperlonga zijn de bekendste voorbeelden. De Pompejanen begonnen in de stad imitaties van deze grotten te maken: ze zetten schitterende bouwwerkjes neer, waarin water, dat in watervallen over rotsblokken omlaag golfde en in een bassin terechtkwam, de hoofdrol speelde. Het nymfaeum van het huis van het Eeuwfeest spant de kroon en is grandiozer dan alle andere. Niettemin vallen de triclinium-nymfaea in het huis van Julia Felix (II, 4, 3) en het huis van de Gouden Armband (VI, *ins. occ.*, 42) op door hun marmerweelde. In deze nymfaea heeft men de grot gecombineerd met een *stibadium*, een soort zomertriclinium in de open lucht.

Wanneer een echt nymfaeum niet tot de mogelijkheden behoorde, koos men voor een grote fontein in een nis, die min of meer de vorm van een grot kreeg. Vaak werden deze nissen versierd met schelpen en schitterende glasmozaïeken. In het huis van de Grote en dat van de Kleine Fontein en van de Beer (VII, 2, 45), de Wetenschappers (VI, 14, 43) en de Gouden Armband

Bladzijde 112

Linksboven

Simpulum

Zilver. 1ste eeuw n.C.
Pompeji.
Napels, Museo Archeologico Nazionale.

Kleine kelk met een oor of een lange steel, tijdens offerrituelen gebruikt om te plengen.

Rechtsboven

Waterketel met leeuwepoten

Brons. 1ste eeuw v.C. of 1ste eeuw n.C. Hoogte: 46 cm.
Pompeji.
Napels, Museo Archeologico Nazionale.

Onder

Kelk met oren

Zilver. 1ste eeuw n.C.
Hoogte: 12 cm.
Pompeji.
Napels, Museo Archeologico Nazionale.

Bladzijde 113

Boven

Karafje

Zilver. 1ste eeuw n.C.
Hoogte: 24 cm, diameter: 9,5 cm.
Huis van Menander, Pompeji.
Napels, Museo Archeologico Nazionale.

Midden

Geribbeld kruikje

Zilver. 1ste eeuw n.C.
Hoogte: 10 cm.
Huis van Menander, Pompeji.
Napels, Museo Archeologico Nazionale.

Op het bevestigingspunt van het handvat staat een vrouwenkopje.

Onder

Offerschaal

Zilver. 1ste eeuw n.C.
Hoogte: 7,1 cm, lengte: 27 cm, diameter: 15 cm.
Pompeji.
Napels, Museo Archeologico Nazionale.
Schaal met wijde opening, gebruikt tijdens offerplechtigheden.

(VI, *ins. occ.*, 42) zijn voorbeelden van deze spectaculaire sierbouwsels te zien.

Voortaan kon men zijn tuin naar hartelust opvrolijken met waterballetten van fonteinen, stroompjes, waterspuwende dolfijnen en mascarons en door amors gedragen bassins – allemaal van brons of marmer en naar voorbeelden uit het onuitputtelijke repertoire van de Griekse beeldhouwkunst.

DE SCULPTUREN IN DE TUIN EN IN HET HUIS

De tuin werd een ware galerij van kunstwerken, te vergelijken met de galerijen die men kon bewonderen in de villa's van de rijke verzamelaars uit die tijd, die voortdurend op zoek waren naar de fraaiste Griekse kunstwerken, waarvoor ze flinke bedragen wilden neertellen. Langs de paden en rondom de fonteinen kwamen rijen zuiltjes en pilasters te staan, waarop borstbeelden en maskers werden geplaatst, beeldjes van amor en van bosgoden of grotere beelden van Bacchus, Venus of Hercules. De opmerkelijkste beeldentuin is zonder twijfel die van de villa van de Papyrusplanten in Herculaneum, maar aan huizen zoals die van de Vettii (VI, 15, 1), de Vergulde Cupido's, de Citerspeler en Marcus Lucretius (IX, 3, 5) danken we ook zeer fraaie voorbeelden van de rijkdom en verscheidenheid van de tuinbeeldhouwkunst.

De tuin van het huis van Octavius Quartio (II, 2, 2) is niet omsloten door zuilengangen, zodat hij – naar het voorbeeld van die van Fabius Rufus – deel lijkt uit te maken van de omringende natuur. De beelden zijn er 'op zijn Egyptisch' geplaatst, langs de *euripus*, een langwerpige vijver, die dwars door de uitgestrekte tuin loopt en de Nijl symboliseert, de rivier die het land waar hij doorheen stroomt zo vruchtbaar maakt. Het doet er niet toe dat de beelden in Pompeji voor het merendeel kopieën waren of serieprodukten. Ze zouden voortaan een vast decoratief element zijn van de tuin en het nymfaeum, zoals de schilderingen dat altijd al waren voor het huis. Toch zegt een analyse van de decoratieve elementen in een huis niet veel over de persoonlijkheid en de culturele ontwikkeling van de eigenaar ervan. De uitgestalde 'kunstvoorwerpen' hebben vaak weinig met kunst uit te staan en zeggen niet veel over de artistieke beschaving van de heer des huizes, al zullen ze wel een – zij het hooguit nogal flauwe – afspiegeling zijn van diens persoonlijke smaak, die, zoals we

Linkerbladzijde, boven

Kelk met gestileerde bladeren

Zilver. 1ste eeuw n.C.
Hoogte: 8 cm, diameter: 13,4 cm.
Omgeving van de Vesuvius.
Napels, Museo Archeologico Nazionale.

Onder

Kleine thermosfles

Zilver. 1ste eeuw n.C.
Hoogte: 15 cm, diameter: 11,2 cm.
Pompeji.
Napels, Museo Archeologico Nazionale.

Hieronder

Dienblad

Zilver. Midden van de 1ste eeuw n.C.
59,5 x 40,5 cm.
Herculaneum.
Napels, Museo Archeologico Nazionale.

zullen zien, niet altijd even geraffineerd was. De Romeinen, die toch erg gevoelig waren voor esthetische waarden, zouden de kunst nooit gaan zien als een doel op zich, zonder een andere functie dan de artistieke – de opvatting die kenmerkend was voor de Griekse beschaving. Zij waardeerden juist de nuttige, decoratieve en statusverhogende eigenschappen ervan. Zelfs de markantste persoonlijkheden wisten zich niet te ontworstelen aan deze zeer prozaïsche houding ten opzichte van de kunst. Cicero, om maar eens iemand te noemen, verzocht Atticus voor hem op de kunstmarkt wat bas-reliëfs op de kop te tikken, waarmee hij een klein atrium zou kunnen verfraaien. Het is dan ook niet vreemd dat in rijke Pompejaanse woningen manshoge bronzen standbeelden zijn gevonden, ongetwijfeld kopieën van Griekse meesterwerken, die een functie hadden gekregen als *lychnophoroi*, fakkeldragers, en tijdens nachtelijke banketten de triclinia verlichtten. Dergelijke beelden zijn aangetroffen in de huizen van Fabius Rufus en Julius Polybius en in dat van de Efebe (I, 7, 11). Soms kregen ook oorspronkelijke werken een dergelijke praktische functie, zoals de uit de artistieke traditie van Alexandrië afkomstige *placentarii*, kleine bronzen beeldjes van koekverkopers, die zijn gevonden in het huis van de Efebe en waarop het eten werd opgediend. Dit neemt allemaal niet weg dat tussen de ranken, voluten en acanthusbladeren van de bas-reliëfs waarmee de tafels en de *cartibula* in respectievelijk de tuin en het atrium waren bewerkt, ook uiterst geraffineerde marmeren haut-reliëfs van bijvoorbeeld wilde-dierepoten te vinden zijn.

Portret van een vrouw
Fresco in de derde stijl.
41 x 26 cm.
Herculaneum.
Napels, Museo Archeologico Nazionale

BUSTEN EN BEELDEN

Van groter artistiek belang en beduidend origineler zijn de marmeren of bronzen busten. In het verleden hadden deze beelden deel uitgemaakt van de traditionele, realistische en puur Italische grafkunst, die aansloot bij de republikeinse traditie van persoonsverheerlijking. Maar nu sierden ze, als teken van prestige en trots, de atria van de patriciërswoningen, waarmee hun functie vergelijkbaar was geworden met die van de beelden die op het forum en andere openbare plaatsen werden opgericht voor degenen die zich verdienstelijk hadden gemaakt voor het vaderland.

De marmeren busten uit het huis van Cornelius Rufus (VIII, 4, 15) en dat van Orpheus (VI, 14, 20) en de bronzen busten uit de woning van Caecilius Jucundus (V, 1, 26) zijn onmiskenbaar tekenen van waardigheid. Ze werden neergezet als eerbetoon en drukten de erkentelijkheid van de *familia* uit.

In het gebouw van Eumachia staat het beeld van Eumachia dat de lakenbereiders lieten oprichten voor hun beschermvrouwe, terwijl het zogenoemde beeld van Livia in de villa van de Mysteriën – in werkelijkheid betreft het een andere priesteres – een eerbetoon was aan een van de leden van de *gens* Istacidia, de illustere familie die de villa bezat. Kleding en kapsel van deze twee beelden sluiten aan bij de classicistische tendens die in Rome dank zij de vrouwen van de keizerlijke familie mode was geworden.

Medaillon met jongeman

Fresco in de vierde stijl.
28 x 22 cm.
Herculaneum.
Napels, Museo Archeologico Nazionale.

LUXUEUZE SNUISTERIJEN

De passie voor rijkdom – en voor vertoon van rijkdom – en de permanente zoektocht naar sociale bevestiging kwamen ook tot uitdrukking in de minder verheven kunstvormen. De produkten van getalenteerde ambachtslieden waren verzamelobjecten. Waardevolle voorwerpen en zilverwerk waren voor het huis wat juwelen waren voor het lichaam. Ze verleenden de eigenaar prestige en werden bij recepties en banketten duidelijk in het zicht gezet. Het pronken met een overvloed van gouden en zilveren voorwerpen, vooral tafelgerei, was een van de favoriete manieren om de rijkdom zichtbaar te maken en moest zowel de smaak als de economische macht van de gastheer en zijn vrouw weerspiegelen. Petronius, de *elegantiae arbiter* – autoriteit op het gebied van smaak – aan het hof van Nero, geeft een mooi beeld van die bezetenheid van luxe: in zijn roman *Satiricon* schetst hij een huisbewaarder die bij de ingang van het huis van de onvergetelijke 'nouveau riche' Trimalchio erwten uit een zilveren schaal zit te doppen.

Glas was een doodgewoon, wijd verbreid materiaal, waarmee over het algemeen de vormen van het edeler vaatwerk werden geïmiteerd. Toch werden er ook meesterwerken mee gemaakt, zoals de 'blauwe vaas', die volgens de camee-techniek is versierd met oogstende liefdesgodjes tussen de wijnstokken, of de glazen kelken uit Stabiae, die van doorschijnend obsidiaan lijken, bezet zijn met stenen, veelkleurig koraal en goudfiligraan en waarop in reliëf Egyptische motieven zijn aangebracht. In veel Pompejaanse huizen is zilverwerk gevonden, maar vooral interessant zijn twee complete collecties. De ene komt uit het huis van Menander en bestaat uit 118 delen, de andere komt uit de Pisanella-villa in Boscoreale en is 109-delig. Beide omvatten voorwerpen uit verschillende perioden, van het einde van de Republiek tot de tijd van Nero, maar stammen voor een groot deel uit de tijd van Augustus. De figuren hebben Dionysische, mythologische, naturalistische, filosofische en allegorische thema's, want ook voor de edelsmeden – die voor een deel uit Rome of Campanië afkomstig moeten zijn geweest – was de Griekse traditie de inspiratiebron. Naast uiterst knappe staaltjes van ciseleer- en drijfwerk in zilver, droegen ook de soms met buitengewoon fijne reliëfs versierde voorwerpen van brons, zoals réchauds, vuurpotten, kandelabers, lantaarns, serviezen en bakvormen, bij aan het imago. Allemaal waren het bewijzen van een luxe die, los van wat voor modegrillen dan ook, langzaam een belangrijke factor voor het sociale prestige was geworden.

DE GESCHILDERDE WANDVERSIERING: DE DERDE STIJL

Al tijdens de laatste jaren van de Republiek had de tweede stijl aanzienlijke veranderingen ondergaan, waarbij de realistische architectuur-trompe-l'oeils steeds verder op de achtergrond waren geraakt. De perspectivisch weergegeven gebouwen en de colonnades die het middendeel van de beschilderde wand hadden beslagen, lieten nu ruimte over voor het 'schilderij', en de decoratieve architectonische elementen kregen vooral een rol als omlijsting. De wanden, waarvan de schilderkunst tevoren met behulp van illusionistische spelletjes het bestaan had willen ontkennen, werden nu de ondergrond voor autonome decoratieve of fantastische voorstellingen, waarin de zuilen veranderden in plantaardige elementen of kandelabers en de ruimten werden gestructureerd en onderverdeeld.

De grote architect Vitruvius bracht zijn teleurstelling over en zijn onbegrip van de nieuwe stijl als volgt onder woorden: 'Men schildert op de muren dingen die geen betekenis hebben (*monstrum*) en niet langer realistische afbeeldingen van dingen die we kennen: in plaats van zuilen zien we gecanneleerde stengels met gegroefde bladeren en wijnranken, in plaats van frontons loze arabesken; op dezelfde manier ondersteunen kandelabers afbeeldingen van tempeltjes die frontons hebben waaruit struiken van voluten groeien,

Medaillon met jonge vrouw
Fresco in de vierde stijl.
28 x 22 cm.
Herculaneum.
Napels, Museo Archeologico Nazionale.

Bacchus en een maenade

Fresco in de vierde stijl.
36 x 37 cm.
Herkomst onbekend.
Napels, Museo Archeologico Nazionale.

Sappho

Fresco in de vierde stijl.
31 x 31 cm.
Regio VI, *insula occidentalis*, Pompeji.
Napels, Museo Archeologico Nazionale.

De jonge vrouw is afgebeeld met een schrijfstift en een soort boek, dat bestaat uit een aantal wastabletten, de attributen van een ontwikkeld iemand.
Het haarnet van gouddraad, dat in Nero's tijd mode was, en de zware gouden oorringen maken duidelijk dat ze van gegoede afkomst is. Het lichte loenzen is een van de eigenschappen van Venus. Bij het portret van deze jonge vrouw des huizes hoorde een portret van haar echtgenoot, die was afgebeeld met een werk van Plato in zijn handen.

Hercules vindt zijn zoon Telephus terug in Arcadië

Detail: portret van Hercules.
Fresco in de vierde stijl.
218 x 182 cm.
Basilica, Herculaneum.
Napels, Museo Archeologico Nazionale.

waarop – geheel in strijd met de logica – tere bloemen en figuurtjes zitten, of stengels die eindigen in busten met mensen- of dierekoppen. Wel, al die dingen bestaan niet, kunnen niet bestaan, hebben nooit bestaan. Hoe kan een rietstengel een dak ondersteunen, of een kandelaber de ornamenten van een fronton...?'

De waarden en de componenten van de decoratieve code waarvan de schilderkunst zich nu bediende werden al gauw door iedereen geaccepteerd. De schilderkunst hoefde geen beschrijvende afbeelding van de werkelijkheid meer te geven, maar kon volstaan met een verwijzing daarnaar. Zo ontwikkelde zich een puur symbolische beeldtaal. Elke toeschouwer begreep de verwijzing die besloten lag in de zuil, die trouwens niet langer een realistische afbeelding behoefde om zijn functie op de wand duidelijk te maken. De zuil kon zich symbolisch, en met een veel decoratiever effect, veranderen in een stengel of een kandelaber. Bevrijd van de dwang de architectuur te imiteren, kon de schilderkunst zich in dienst stellen van een autonoom, figuratief verhaal.

Zo ontstond en ontwikkelde zich de derde stijl, die heel vernieuwend was en wellicht ook de mooiste. De wand viel volgens een nauwkeurige decoratieve syntaxis uiteen in drie delen: de sokkel-, de midden- en de bovenzone. Dit systeem was door de voorgaande stijlen al aangebracht, maar werd nu een vaste conventie. Elke wand werd bezield met zijn eigen voorstellingen: het verband met de andere wanden werd puur formeel en bestond alleen omdat hij er een ruimte mee vormde. De op het middelste – het belangrijkste – deel afgebeelde architectuur voert de blik nu naar het midden van het vlak, waar een *aedicula*, een bouwseltje, is afgebeeld, dat dient als omlijsting voor een groot figuratief tafereel, meestal ontleend aan de Griekse mythologie. De aedicula vormt het brandpunt van de compositie en is de plaats waar een gespecialiseerde schilder, de *pictor imaginarius*, zijn talent laat spreken. Deze schilderijen hebben soms een thematiek die op de wanden in de verschillende vertrekken van het huis wordt volgehouden, en ze behoren tot de mooiste die ons uit de Oudheid zijn overgeleverd. Toch kunnen we ze hooguit beschouwen als 'documenten', aan de hand waarvan we ons een idee kunnen vormen van de picturale kunst van de Ouden. De pure emotie van het scheppende gebaar kan er beter niet in worden gezocht. De schilders kopieerden de taferelen van 'kartons' uit een omvangrijk repertoire, die ze interpreteerden en veran-

derden, al naar gelang hun ervaring en de invloeden die ze hadden ondergaan. Ondanks de betrekkelijke gevoelloosheid vallen deze schilderijen op door de kracht van de kleuren, de aard van de taferelen, de opvatting die ze uitdrukken en de wereld die ze oproepen. Het genot dat wij eraan beleven is niet zozeer esthetisch of spiritueel als wel gevoelsmatig en intellectueel.

De schilderijen uit de huizen van Pompeji, vooral de grotere, zoals die in het huis van de Citerspeler, in de kamertjes van het huis van de Fatale Liefde (IX, 5, 18-21) of in het triclinium van de Keizerlijke Villa, zijn nu voor ons een van de mijlpalen van onze culturele geschiedenis. Aan weerszijden van de aedicula is de wand verdeeld in panelen die in een enkele tint zijn beschilderd en zijn bezaaid met subtiele decoraties. In het midden van deze panelen zien we vignetten met vaak nogal 'impressionistisch' aandoende figuren of landschappen, die niet direct verband houden met de andere elementen op de wand.

Op de bovenzone zijn de architectonische vormen kleiner en geven ze met arabesken, rankenornamenten en voluten plantaardige elementen weer, die nu geheel deel uitmaken van het decoratieve repertoire en zelfs in de verste verte niet de indruk willen wekken dat ze onderdeel zouden zijn van een reële ruimte. De voorkeur ging uit naar sobere decoratieve composities, kleine landschapsschilderingen of stillevens, maskers en fantastische personages. Alle figuren die de verbeelding maar kon voortbrengen, werden harmonieus verspreid over een streng en rationeel ingedeelde ruimte.

Egypte, dat sinds de slag bij Actium privé-bezit van de keizer was, prikkelde de fantasie van de Pompejanen. Met het mysterie van zijn oeroude godheden, die al sinds lange tijd door het religieuze pantheon van de Romeinen wandelden, zijn Nijllandschappen, zijn pygmeeën en exotische dieren vormde het land een onuitputtelijke inspiratiebron voor de interieurversiering. Egypte was niet zomaar in de mode, het was een ware passie.

Het streven naar decoratieve eenvoud leverde een uitermate geraffineerde sfeer op. Bij dit elegante decor pasten vloeren met uiterst sobere geometrische motieven, waarin zwart en wit elkaar afwisselden en die geen enkele suggestie van reliëf of kleur beoogden. Ook de schaarse figuratieve elementen, zoals die in het huis van Paquius Proculus (I, 7, 1), werden behandeld als geometrische ornamenten.

Theseus en de Minotaurus

Detail.
Fresco in de vierde stijl.
194 x 155 cm.
Basilica, Herculaneum.
Napels, Museo Archeologico Nazionale.

Denkende vrouw

Fresco in de vierde stijl.
53 x 49 cm.
Villa van Ariadne,
Stabiae.
Napels, Museo
Archeologico Nazionale.

DE GESCHILDERDE TUINEN

Het opvallendste element van de derde stijl zijn de omvangrijke, harmonieuze composities met taferelen uit de planten- en de dierenwereld, die vertrekken omtoverden tot fantastische tuinen. Deze schilderingen, waaraan soms marmer werd toegevoegd, of *tabulae pictae* die het intieme karakter van de ruimte benadrukten, strekten zich uit over één muur of besloegen alle wanden van een voor het familieleven gereserveerd vertrek. Zoals het schitterende mozaïek uit het huis van de Faun een soort encyclopedie van het leven onder water is, zo vormen deze schilderingen een catalogus van de verschillende vogel- en plantesoorten die voorkwamen rondom de villa's uit de omgeving. Duidelijk blijkt hier het verlangen van de Pompejanen zich binnenshuis te omringen met de natuur die buitenshuis te bewonderen was. Het is alsof ze deze wilden vangen om zich er beter in te kunnen onderdompelen, om er de vitale harteklop van te voelen en al het andere te vergeten. In de schilderkunstige fictie was de natuur vrij: de vogels zaten niet opgesloten in een kooi en de planten groeiden spontaan, in een vrolijke wanorde. Dit nieuwe type schildering lag in het verlengde van het *trompe-l'oeil* van de tweede stijl. De minutieuze en aandachtige beschrijving van de plantaardige en dierlijke werkelijkheid leverde een droomwereld op, die uitdrukking gaf aan een intens verlangen toegang te krijgen tot een imaginaire en geïdealiseerde werkelijkheid, die buiten het geschilderde om niet bestond.

Ondanks de complexe en onderling zeer verscheiden uitingen ervan, lijkt de derde stijl de maatschappij uit de beginperiode van de keizertijd goed weer te geven. Aan de politieke onrust was een einde gekomen en men was uitgekeken op de gekwelde composities van de tweede stijl. Daarvoor in de plaats kwam een behoefte aan formeel evenwicht, soberheid, strengheid zelfs. Men wilde terug naar de waarden van het verleden en van de klassieke wereld.

Er brak een nieuw tijdperk van stabiliteit aan. De wereld werd beheerst door een systeem dat onwrikbaar in het zadel zat, en de muurschilderingen lijken deze orde en evenwichtigheid te weerspiegelen. De verbeeldingskracht van de kunstenaar werd gestuurd door principes die niemand meer ter discussie stelde en kon zich, net als de eindelijk in rustiger vaarwater terechtgekomen mensen zelf in deze periode, in al zijn authenticiteit laten gelden, door niets dan levensvreugde uit te drukken.

Tuinscène

,Detail.
Fresco in de vierde stijl.
Zuidelijke muur van de tuin van het huis van Venus op de Schelp, Pompeji.

De muur die de tuin afsluit voor blikken van buitenaf is versierd met een beroemde afbeelding van Venus, die de vormen heeft van een vrouw uit het volk en languit in een schelp ligt. Aan weerszijden van haar zijn schitterende tuinscènes afgebeeld. Daarin figureert onder meer deze langsnavelige vogel, die zich angstig voortrept door de weelderige tuin vol riet.

Boven

De drie Gratiën

Fresco in de derde stijl.
57 x 53 cm.
Huis IX, 2, 16, Pompeji.
Napels, Museo Archeologico Nazionale.

Rechterbladzijde

De drie Gratiën

Fresco in de derde stijl.
53 x 47 cm.
Regio VI, *insula occidentalis*, Pompeji.
Napels, Museo Archeologico Nazionale.

DERTIG JAAR VAN VERANDERINGEN

Mars en Venus
Fresco in de derde stijl.
154 x 117 cm.
Huis van de Fatale Liefde, Pompeji.
Napels, Museo Archeologico Nazionale.

Naar aanleiding van Nero's nieuwe paleis schreef Suetonius dat de keizer een paleis liet bouwen 'dat zich uitstrekte van de Palatinus tot de Esquilinus... Het was zo groot dat het een driedubbele colonnade bezat van een mijl lang en een vijver zo groot als de zee, omringd door gebouwen die een stad leken; hierbij kwamen nog uitgestrekte stukken groen met akkers, wijngaarden, weilanden en bossen vol wilde dieren...' De *Domus Aurea*, de opzienbarendste woning uit de hele geschiedenis van de mens, was niet alleen de krankzinnige droom van een Romeinse keizer die grenzeloze macht bezat, het was ook de belichaming van de smaak die kenmerkend was voor die tijd. Deze smaak hechtte aan weelde. Men was de in Augustus' tijd nagestreefde soberheid en strengheid vergeten en gaf zich gretig over aan extravaganties. Alles uit die tijd gaf uiting aan een bijna obsessieve behoefte te verrassen en te verbazen, en er een levensstijl op na te houden waarin het uitzonderlijke de plaats innam van het alledaagse. Op alle gebieden heerste de losbandigheid. Het leven leek niet meer dan een voorwendsel om gehoor te kunnen geven aan de uitzinnigste ingevingen. Christenen werden levend in brand gestoken om als fakkel te dienen en het leven van gladiatoren hing af van de luimen van het publiek. Keizer Claudius liet honderd schepen, waaronder zware triremen en quadriremen, transporteren naar het meer van Fucino in de Apennijnen, waar hij 19.000

man een spectaculaire zeeslag liet opvoeren, die zou eindigen in een bloedbad. Nero liet Sporius castreren om hem als echtgenote te kunnen nemen. Men was doorlopend op zoek naar de allergrootste, allerzeldzaamste en allerduurste vis, waarmee men tijdens de eindeloze banketten zijn gasten kon epateren: dat was de sfeer van dit 'barokke' tijdperk.

De voorliefde voor het buitensporige en het mateloze klonk na verloop van tijd natuurlijk ook door in de kunst. Op de gracieuze ingetogenheid van Augustus' paleis op de Palatinus, volgde de opzichtige pracht van Nero's *Domus Aurea*. En de decoratieve soberheid van de derde stijl moest langzaam wijken voor uitbundigheid, voor het barokke en spectaculaire dat ten tijde van keizer Claudius de kop had opgestoken en zou culmineren in de ongebreidelde schilderingen die Fabullus maakte voor Nero's paleis.

DE GESCHILDERDE WANDVERSIERING: DE VIERDE STIJL

In de laatste fase van de derde stijl waren de wandversieringen gaan neigen naar topzwaarte. De centrale aediculae, die de figuratieve taferelen omlijstten, waren beetje bij beetje uit elkaar gevallen, tot er niet meer van over was dan wat eenvoudige decoratieve vlakken, waarbinnen geschilderde architectuur weer zorgde voor doorkijkjes en perspectieven. Ondertussen gingen kromme of golvende lijnen, die een illusie van driedimensionale holle en bolle vormen schiepen, langzamerhand de hele gedecoreerde ruimte beslaan. Op de bovenzone bleef men op zichzelf staande verkleinde architectonische elementen afbeelden, maar met gebruikmaking van steeds gecompliceerder perspectieven, waarin allerlei figuratieve elementen – schilderijtjes, of poortjes die een blik boden op maskers, drievoeten of *oscilla* – composities vormden die zich niets meer aantrokken van logica of eenheid. Exemplarisch voor dit genre zijn de wanden van het tablinum van het huis van Marcus Lucretius Fronto (V, 4, a), met hun overdaad aan kleurige bloemmotieven en de uitermate gedetailleerde, met Apollinische en Dionysische symbolen overladen omlijstingen van hun zijpanelen.

In de vierde stijl werden deze tendenzen nadrukkelijker. De zijpanelen van het middelste deel 'openden' zich vaak naar architectonische doorkijkjes, die de blik voorbij de muur voerden. Soms werd de hele wand het toneel van gecompliceerde spelle-

Mars en Venus
Details.

Boven

Centaur en maenade

Detail.
Fresco in de derde stijl.
30 x 136 cm.
Villa van Cicero, Pompeji.
Napels, Museo Archeologico
Nazionale.

Linkerbladzijde

Dionysus als kind, rijdend op een luipaard

Mozaïek in de eerste stijl.
163 x 163 cm.
Huis van de Faun, Pompeji.
Napels, Museo Archeologico
Nazionale.

tjes met fantastische architectonische vormen, die niets meer te maken hadden met het architectonische realisme van de tweede stijl. De kleuren werden fel: harde, wilde tinten zorgden voor de kleurcontrasten tussen de verschillende delen van de wand, die voordien waren bepaald door twee harmoniërende basistinten. De decoratieve motieven, die met een miniaturistische, haast overdreven zorg voor details werden weergegeven, stapelden zich op en liepen door elkaar heen, in een overdaad waaruit angst voor de leegte lijkt te spreken. De compositie van de panelen maakte dat het geheel iets kreeg van een wandkleed, dat strak over de muur was gespannen, maar soms ook leek te golven of te wapperen in de wind, zoals in het tablinum van het huis van de Jacht (VII, 4, 48). Daar hebben de schilders langs de randen van het paneel een knap staaltje gegeven van hun virtuositeit, wat een veelheid aan decoratieve effecten heeft opgeleverd. In het midden van het paneel trekken door de lucht vliegende of in medaillons gevatte mensen, genrestukjes en landschappen de aandacht. Deze afbeeldingen staan in schril contrast met de voor deze stijl zo karakteristieke overdadige versiering van de randen van het 'kleed'. Vloeiende lijnen, een 'impressionistische' toets en een doordacht gebruik van schaduwen, die de lichamen van de personages volume geven, brengen het afgebeelde tafereel tot leven. Op dezelfde manier, vooral bij de landschappen, bereikte men met penseelstreken en kleurvlekken een afwisseling van licht en schaduw, en dit *clair-obscur* gaf diepte aan de schildering.

Deze zeer uiteenlopende tendenzen gehoorzaamden wel aan vaste normen en compositorische principes. Ze zijn ook te herkennen in de woningen van het volk, al zijn de muurschilderingen daar vaak gewoner en minder kostbaar: zonder al te gecompliceerde ornamentatie en met een betrekkelijk sobere indeling in panelen van verschillende kleuren, waarop kleine schilderingen zijn aangebracht met stereotiepe, aan de Griekse traditie ontleende en tot in het oneindige herhaalde motieven.

Sater en maenade

Fresco in de vierde stijl.
44 x 37 cm.
Huis van de Epigrammen, Pompeji.
Napels, Museo Archeologico Nazionale.

DE PARADEISOI, GESCHILDERDE DIERGAARDEN

Naast deze decoratieve gehelen bezaten veel huizen grote figuratieve muurschilderingen, met mythologische scènes zoals de geboorte van Venus, of jachttaferelen met vechtende wilde dieren

Slapende maenade

Fresco in de derde stijl.
230 x 153 cm.
Huis van de Citerspeler, Pompeji.
Napels, Museo Archeologico Nazionale.

Een maenade is na een orgiastische dans uitgeput in slaap gevallen. De tamboerijn en de thyrsus zijn uit haar handen gegleden. Dionysus zal zich bij haar voegen.

in surrealistische landschappen. Deze schilderingen besloegen een heel paneel, en soms zelfs de hele achtermuur van de tuin. Deze spectaculaire composities leken de buitenissige praal van de oriëntaalse paleizen (*paradeisoi*), waar de wilde dieren zo ongeveer vrij rondliepen, te willen imiteren. Soms werd een mythe gecombineerd met een naturalistisch tafereel. Zo temt Orpheus in het huis van Orpheus (VI, 14, 20) met de klanken van zijn lier een wild dier. In de hoge Romeinse kringen waren tuinen waarin wilde dieren rondliepen geen zeldzaamheid. Van Varro weten we bijvoorbeeld dat Hortensius, ruim voor Nero's tijd, bij Ostia een waar dierenpark bezat, waarin de gasten werden vermaakt door een als Orpheus verklede slaaf, die met zang en muziek de dieren kalmeerde. En zo diende de schilderkunst weer als hulpmiddel voor de droom: het visuele plezier vormde een aangenaam surrogaat voor de genoegens van de fel begeerde maar onbereikbare rijkdom.

DE UITBEELDING VAN HET DAGELIJKS LEVEN

Er bestond nog een andere vorm van picturale expressie, waarvan vele voorbeelden bewaard zijn gebleven. Deze neemt binnen onze kennis van de kunst uit die tijd een aparte plaats in. De praktische, alledaagse schilderkunst, die onwetend was van de codes van de op Griekse leest geschoeide schilderkunstige traditie, beeldde zonder verfijning maar met een grote spontaniteit scènes uit het dagelijks leven af. Voorbeelden ervan zijn de schilderingen voor de huisgoden en de afbeeldingen op uithangborden van winkels, maar ook allerlei schilderijtjes met kroegtaferelen, ambachtelijke en commerciële activiteiten, de drukte op het forum, religieuze processies en erotische taferelen – kortom: alle aspecten van het bruisende leven. Hun narratieve stijl maakt deze schilderingen tot waardevolle documenten over het leven van die tijd. Hetzelfde geldt voor de ongekend frisse en levendige bas-reliëfs uit dezelfde categorie, die soms zelfs doen denken aan een stripverhaal.

Voor de schilderingen en bas-reliëfs uit dit genre koos men ook wel voorvallen uit de actualiteit als thema, die dan werden afgebeeld in een stijl die doet denken aan die van een momentopname. Het beroemde schilderijtje van de rel die in 59 n.C. in het amfitheater uitbrak tussen Pompejanen en Nucerianen is hier een voorbeeld van.

Boven

Theseus en de Minotaurus

Mozaïek in de tweede stijl.
Diameter: 45 cm.
Pompeji.
Napels, Museo Archeologico Nazionale.

Rechterbladzijde

Theseus als bevrijder

Fresco in de vierde stijl.
97 x 88 cm.
Huis van Gaius Rufus, Pompeji.
Napels, Museo Archeologico Nazionale.

Theseus heeft de Minotaurus gedood, die bij de ingang van het labyrint met zijn poten omhoog op de grond ligt. Voor de ogen van de verbijsterde en ongelovige Kretenzers wordt hij geëerd door de jonge Atheners.

MOZAÏEK- EN STUCWERK

Ariadne

Fresco in de vierde stijl.
76 x 70 cm.
Huis van Meleager, Pompeji.
Napels, Museo Archeologico Nazionale.

Het barokke van de vierde stijl kwam op de vloer tot uitdrukking in ingewikkelde composities, die meestal bij de ingang van de woning werden geplaatst, als paradepaardje. De zwarte en witte steentjes vormden weer net als vroeger figuren. Het beroemde mozaïek van de waakhond met de waarschuwing '*Cave canem*' in de hal van het huis van de Tragische Dichter (VI, 8, 3) is heel karakteristiek voor deze tijd, evenals dat van een gewonde beer in het huis van de Beer (VII, 2, 45). In dit laatste mozaïek zijn ook gekleurde steentjes verwerkt, die bepaalde delen van de zwart-wit-compositie benadrukken. De lichte toetsen waarvan de schilderkunst zich in die tijd bediende, zijn ook terug te vinden in de mozaïeken: de witte steentjes werden niet alleen gebruikt voor de contouren, maar ook om, als met penseelstreken, details en vormen aan te geven op het zwarte dierelijf.

Tegelijkertijd kreeg men weer belangstelling voor de stucdecoratie, die werd gebruikt in combinatie met de geschilderde decoratie, zoals in het tablinum van het huis van Meleager (VI, 9, 2), maar vooral op tal van kroonlijsten tussen muur en plafond. Aanvankelijk waren deze kroonlijsten glad en licht van kleur, maar nu werden ze versierd met rijen palmetten en lotusbloemen in felle tinten. Ook de openbare gebouwen, zoals de thermen, getuigen van de hernieuwde belangstelling voor dit decoratieve element, dat de eerste en de tweede stijl had gekenmerkt, maar dat tijdens de derde, waarin reliëfs nauwelijks een rol hadden gespeeld, op de achtergrond was geraakt. Hele wanden, zoals die van het *gymnasium* van de Stabiaanse thermen, en plafonds werden gedecoreerd met stucwerk. Met hun beweging suggererende driedimensionaliteit, hun figurenrijkdom, hun veelkleurigheid en hun bewerkelijkheid – waardoor lang niet iedereen zich dergelijke ornamenten kon veroorloven – nemen deze stucversieringen een belangrijke plaats in binnen de kunst uit deze periode.

De oneindig gevarieerde vierde stijl lijkt vooral een uiting van de opwinding die heerste in de toenmalige maatschappij, waarin allerlei nieuwe klassen in opkomst waren, die zich op alle mogelijke manieren een plaats onder de zon probeerden te verwerven.

Hercules vindt zijn zoon Telephus terug in Arcadië
Detail: Telephus wordt gevoed door een hinde.
Fresco in de vierde stijl.
218 x 182 cm.
Basilica, Herculaneum.
Napels, Museo Archeologico Nazionale.

DE VRIJGELATENEN EN HET NIEUWE ONDERNEMERSCHAP

De 'vrijgelatenen' waren slaven die erin waren geslaagd de vrijheid te veroveren. Zij begonnen met niets en wisten soms geheel op eigen kracht aanzienlijke fortuinen te vergaren. Zij zochten, voor zichzelf en voor hun nakomelingen, maatschappelijk aanzien en respect.

De leden van deze 'nieuwe garde', die vaak uit het buitenland afkomstig waren, vormden een nieuw sociaal element, dat het evenwicht in de lagere klassen verstoorde. Zij bekommerden zich niet om afkomst of rangen en standen, en in een tijd die volop gelegenheid bood om fortuin te maken, was er niets dat hen ervan kon weerhouden rijk te worden. Wanneer ze hun doel eenmaal hadden bereikt, hadden ze alle recht om mee te dingen naar een achtenswaardige plaats in de maatschappelijke hiërarchie. Het aanzien dat met geld niet te koop was, probeerden ze te verwerven door zich te hullen in een aura van prestige.

Als actieve ondernemers, bedachtzame zakenlieden en scherpzinnige handelaars vormden ze het dynamische element van de samenleving. Tegenover het onroerende goed – vooral grond – dat de rijkdom van de aloude bezittende klasse uitmaakte, stelden zij indrukwekkende kapitalen in contant geld, waarmee ze snel konden reageren op de kansen die de markt bood en zich in riskante maar potentieel lucratieve ondernemingen konden storten. Leningen tegen hoge rente en het financieren van bedrijven waren hun favoriete terrein.

DE AARDBEVING VAN 62 EN DE SPECULATIE MET ONROEREND GOED

De handel in geld was in de hele Romeinse wereld ingeburgerd geraakt, maar nam in Pompeji buitengewone proporties aan na de zware aardbeving die er in 62 n.C. veel schade aanrichtte. De wederopbouw werd voortvarend ter hand genomen. Omdat ze enorme direct beschikbare kapitalen bezaten, konden de *nouveaux riches* zeer winstgevende financiële operaties op touw zetten, die vooral neerkwamen op speculatie met onroerend goed. Prestigieuze bezittingen veranderden van eigenaar. Rijke Romeinse families zagen geen heil meer in het onderhoud van

hun geld verslindende villa's op het verwoeste platteland, en ook zwaar beschadigde huizen in de stad waarvan de eigenaars de herstelwerkzaamheden niet konden bekostigen, kwamen binnen het bereik van de vrijgelatenen. Zij profiteerden van de administratieve chaos die het gevolg was van de aardbeving en bouwden er zonder enige toestemming of controle lustig op los. De gemeentelijke instanties, waar steekpenningen het beleid bepaalden, hadden de middelen noch de intentie om toezicht te houden en overtreders aan te pakken.

DE VERBOUWINGEN AAN DE HUIZEN

Aan sommige huizen zijn de snelle maatschappelijke veranderingen zeer goed af te lezen. De verbouwingen, waarmee in de voorgaande periode was begonnen, volgden elkaar nu in hoog tempo op. De door de aardbeving getroffen huizen werden vaak haastig hersteld, met eenvoudig lapwerk. Het herbouwen gebeurde met baksteen, onverschillig wat het oorspronkelijke materiaal was geweest, en men nam zijn toevlucht tot de voordelige skelettechniek. Bovendien werd de gelegenheid te baat genomen om radicale structurele veranderingen in de manier van wonen door te voeren, op alle niveaus van de samenleving.

Ook het huis van Menander, dat eigendom was van een van de meest vooraanstaande families van Pompeji, waaruit Nero's echtgenote Poppaea afkomstig was, werd verbouwd – met zakelijke bedoelingen. De plafonds van de kamers rechts van het atrium werden verlaagd, zodat men er een verdieping op kon bouwen, met kamers die via een trap rechtstreeks in verbinding stonden met de straat en die werden ingericht als bordeel. Voor de uitbreiding van het huis van de Efebe werden verschillende belendende woningen samengevoegd. Overal waar dat mogelijk was werd een verdieping toegevoegd. In het atrium van het huis van de Ceii (I, 6, 15) werd in verband met de bouw van een paar kamers op het tablinum een houten trap geplaatst, die aan het gezicht werd onttrokken door een tussenwand en waarvoor een muurschildering werd opgeofferd.

Zelfs in huizen waarvan de structuur niet lijkt te zijn gewijzigd, zijn sporen te vinden die duiden op veranderingen in de sociale omstandigheden van de bewoners. Belangrijke atrium-huizen uit de Samnitische tijd kregen een nieuwe indeling en werden deels veranderd in verhuurbare ruimten. In het huis van Ariadne (VII, 4, 31-35) werden in de vertrekken rondom het tweede peristylium een wasserij en bedrijven voor de verwerking van landbouwprodukten gevestigd. Ernaast, in het huis met de Figuratieve Kapitelen, kwam in het peristylium een weefatelier, en ook in het huis VI, 13, 6 en in dat van de Cenacula met Zuilen (VI, 12, 1-5) kwamen verschillende textielateliers. Het sobere huis van Sallustius werd verbouwd tot een herberg, in het huis van de Beer kwam een restaurant en het huis V, 1, 15 werd een bordeel.

Net als de spectaculaire toename van het aantal herbergen –

Achilles op Skyros

Fresco in de vierde stijl.
140 x 90 cm.
Huis van de Dioskuren, Pompeji.
Napels, Museo Archeologico Nazionale.

Achilles en Chiron

Fresco in de vierde stijl.
125 x 127 cm.
Basilica, Herculaneum.
Napels, Museo Archeologico Nazionale.

Iphigenia wordt geofferd

Fresco in de vierde stijl.
140 x 138 cm.
Peristylium van het huis van de Tragische Dichter, Pompeji.
Napels, Museo Archeologico Nazionale.

De schildering verbeeldt verschillende episoden uit de mythe van Iphigenia, de dochter van Agamemnon, die moest worden geofferd om het welslagen van de expeditie tegen Troje te garanderen. We zien het jonge meisje in het midden van de compositie. Odysseus en Diomedes slepen haar naar de offerplaats. Haar vader is door verdriet overmand en bedekt zijn gezicht, Calchas heeft het moeilijk en aarzelt. Bovenaan zien we Artemis, die een hinde heeft gestuurd om Iphigenia te redden.

tot zo'n 44, wat veel is voor een stad die vermoedelijk niet meer dan 12.000 inwoners heeft geteld – hing de bouw van extra, verhuurbare verdiepingen samen met de komst van de vele handwerkslieden die nodig waren bij de uitbreidingen en de restauratiewerzaamheden. Ook zij moesten een dak boven hun hoofd hebben.

Op de gevels van tot huurkazernes omgebouwde panden zijn advertenties aangetroffen. Het huis van Pansa, een van de grootste huizen uit de Samnitische tijd, maakt deel uit van insula VI, 6, waar een bord het volgende meedeelde: 'Vanaf 1 juli in dit huizenblok, dat eigendom was van Arrius Pollio en waarvan nu Cnaeus Alleius Nigidius Maius de eigenaar is, te huur: winkels met bel-etage, appartementen voor ridders op de eerste verdieping en logementen. Wend u tot Primus, slaaf van Cnaeus Alleius Nigidius Maius.' En op de insula van het huis van Julia Felix (II, 4) stond: 'Te huur in het eigendom van Julia Felix, dochter van Spurius: thermen bezocht door de hoogste kringen, winkels, bel-etages, appartementen op de eerste verdieping, voor een periode van vijf jaren vanaf 13 augustus en tot het zesde jaar. Aan het einde van het vijfde jaar zal bij wederzijds goedvinden de huur worden verlengd.'

Dit 'complex' doet uitzonderlijk modern aan: het combineerde een voor bewoning bestemd privé-gedeelte met winkels en openbare ruimten zoals thermen, zwembaden en vertrekken waar *pilicrepi* hun balspel konden beoefenen. Vanuit de apsis van het *caldarium* keek men door grote ramen uit op de tuin, zoals bij thermen buiten de stad gebruikelijk was. Hieraan is te zien dat voor de Romeinse architectuur de kwaliteit van de woning helemaal ondergeschikt was geworden aan die van de omgeving en aan de esthetische waarde van het landschap. Dergelijke grote glasramen hadden het nadeel dat er veel energie verloren ging, helemaal wanneer het ging om een caldarium, waarin de temperatuur heel hoog moest worden gehouden. Maar het schouwspel der natuur was onmisbaar geworden, en die verspilling werd gezien als een noodzakelijke luxe.

In het gedeelte dat bestemd was voor bewoning begrensde een lange zuilengang met marmeren pilasters een tuin met een *euripus*, een langwerpige, door een brug overspannen vijver, die diep genoeg was om de vissen zich erin te kunnen laten voortplanten. Deze tuin, een ware Isis-tempel, moest met zijn ornamenten,

Gewonde Aeneas

Fresco in de vierde stijl.
45 x 48 cm.
Huis van Siricus, Pompeji.
Napels, Museo Archeologico Nazionale.

De gewonde Aeneas slaat zijn arm om zijn huilende zoon Ascanius, terwijl de arts Iapyx de pijl uit zijn vlees trekt. Op de achtergrond zien we twee Trojaanse krijgers en Venus, die is toegesneld om Aeneas te beschermen. De Trojaanse oorlog is een favoriet thema in de decoratieve Pompejaanse schilderkunst.

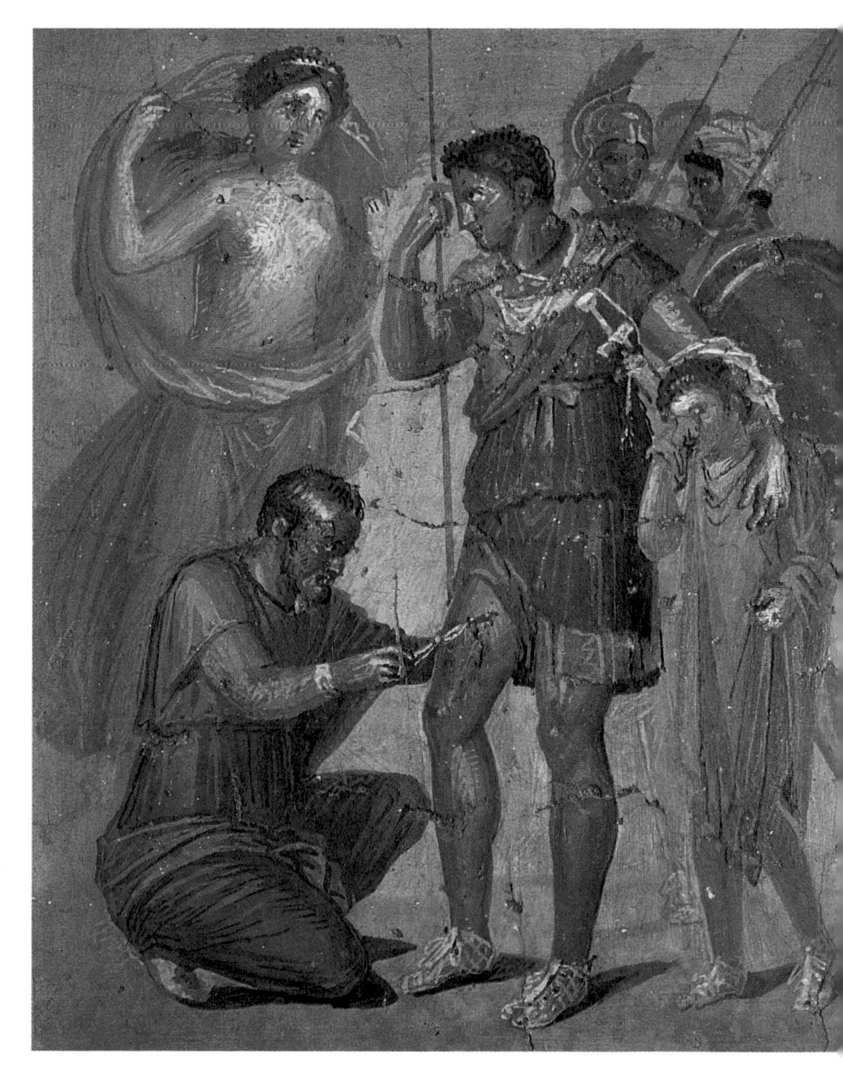

fonteinen en beelden (waaronder het terracotta-beeld van Pittakos van Mytilene, een van de Zeven Wijzen), een sfeer scheppen waarin de ontwikkelde bezoeker zich thuis voelde: een idyllisch landschap, dat uitnodigde tot religieuze meditatie. Tegenover de tuin lag het triclinium, dat was voorzien van een – eveneens met marmer bekleed – nymfaeum. Rondom de tuin en de zuilengangen strekte zich een groot groen gebied uit. Ten slotte was er een restaurant, dat voor een gevarieerd publiek uiteenlopende menu's verzorgde. Het was een thermopolium, waar snacks te krijgen waren, maar er stonden ook tafels en stoelen van metselwerk, die uitnodigden tot een zittend maal, en gemetselde bedden maakten het zelfs mogelijk er banketten te houden.

DE ZOMERTRICLINIA

Een van de belangrijkste elementen van de woning-architectuur in die periode was het gemetselde triclinium, dat steeds meer mensen in hun tuin of in het groen lieten bouwen. Zo wilde men, net als met de nymfaea, het comfort van de vakantievilla's overbrengen naar een huis in de stad. Het rustbed in de buitenlucht stamde rechtstreeks af van het *stibadium*, waarvan het gebruik in de hellenistische wereld en Alexandrië wijd verbreid was, en het sloeg snel aan in Pompeji, waar dank zij het klimaat vrijwel het hele jaar door buiten kon worden geleefd. De aanligbank sloot goed aan bij de luxe van het nymfaeum en werd daarom vaak in de buurt van een fontein gezet.

Het zomertriclinium in het luxueuze huis van de Efebe was geïnstalleerd onder een pergola op zuilen en werd 's avonds verlicht door een bronzen efebe met flambouwen. Vlak voor de drie rustbanken kabbelde een door een fontein van water voorzien watervalletje. Het droomdecor werd gecompleteerd door een jachttafereel met wilde dieren op de wanden en door schilderijen gewijd aan de vruchtbaarheid van de Nijloevers (met onder meer een banketscène in de open lucht, waarbij een paar, aangemoedigd door de andere aanwezigen, de liefde bedrijft). In het huis van Octavius Quartio stroomde vanuit een nagemaakte grot achter het *biclinium* water naar de euripus, die met zijn beelden en zijn aan Isis gewijde kapelletje een zeer Egyptische sfeer opriep.

Het huis van Neptunus en Amphitrite in Herculaneum bezit

Zephyrus en Chloris

Fresco in de vierde stijl.
189 x 243 cm.
Huis van het Schip, Pompeji.
Napels, Museo Archeologico
Nazionale.

een zomertriclinium met een fontein-nymfaeum met marmeren toneelmaskers. Een glasmozaïek in stralende kleuren op de achtermuur stelt de zeegod en zijn echtgenote Amphitrite voor.

Het zomertriclinium was niet alleen maar een luxe met een duidelijke representatieve functie, het was ook een zeer praktisch bouwwerkje, dat weinig hoefde te kosten en niet veel plaats innam in de tuin. Al snel verrezen er in Pompeji tientallen triclinia met de bijbehorende pergola's, vooral in de buurt van het amfitheater, waar de huizenblokken werden omringd door grote stukken landbouwgrond – wijngaarden en velden met voor de parfumproduktie bestemde bloemen. In die buurt werden ook doodgewone, soms piepkleine huizen, zoals atelier-woningen van handwerkslieden, voorzien van een triclinium, dat dan het formaat kon hebben van een kabouterhuis. Wat begon als een luxe voor de elite, werd overgenomen door de massa, die de triclinia echter vooral gebruikte voor commerciële doeleinden en ze verhuurde voor banketten of aan mensen die van ver waren gekomen voor de gladiatorengevechten in het vlakbij gelegen amfitheater en wat wilden rusten of eten.

Amazone

Fresco in de vierde stijl.
89 x 79 cm.
Herculaneum.
Napels, Museo Archeologico Nazionale.

De schildering beslaat het linker gedeelte van de bovenzone van een wand. Het *trompe-l'oeil* wekt de indruk dat we door een groot venster naar een architectonisch perspectief kijken. Op de balustrade zit een amazone, die een zwaard vast heeft en een *pelta*, een klein Grieks schild. Dergelijke schilderingen, met mensen in een architectonisch decor, komen vaak voor op de in verschillende vlakken verdeelde beschilderde wanden.

DE WEG NAAR DE TOP: POPIDIUS CELSIANUS EN JULIUS POLYBIUS

Gezien hun financiële middelen en hun streven naar maatschappelijke erkenning was het te verwachten dat de *nouveaux riches* ook een gooi zouden doen naar de politieke macht, die immers in het verlengde ligt van de economische macht. Dit was de manier bij uitstek om een hoge sociale status te verkrijgen. Want wat in de Romeinse maatschappij de rijke tot een notabele maakte, waren, door de ermee verbonden privileges, de officiële functies die hem werden toevertrouwd.

Het openbare Pompejaanse leven van die tijd kenmerkte zich door een grote drang te stijgen op de maatschappelijke ladder. Twee figuren zijn in dit verband illustratief.

Numerius Popidius Ampliatus was een voormalige slaaf van een van de oudste families. Na zijn vrijlating kreeg hij, dank zij zijn aanzienlijke financiële middelen, het hoogste teken van officiële erkenning: een benoeming als *minister* van Fortuna Augusta. Dit was een van de hoogste eerbewijzen die voor hem waren weggelegd. Omdat hij niet als vrij man was geboren, had hij geen

Theaterdecor in trompe-l'oeil met doorkijkje naar zes verschillende niveaus

Fresco in de vierde stijl.
198 x 132 cm.
Herculaneum.
Napels, Museo Archeologico Nazionale.

toegang tot de magistratuur, dat wil zeggen tot het stadsbestuur, en kon hij geen zitting nemen in de raad van *decuriones*, de plaatselijke senaat. Maar zijn geld kon zijn medeburgers van veel nut zijn. Een compromis werd al snel gevonden, in de vorm van een mecenaat, dat geenszins belangeloos was. In naam van zijn zoon, Numerius Popidius Celsianus, liet hij op eigen kosten de Isistempel restaureren, die volledig was verwoest door de aardbeving van 62. Als dank voor zijn generositeit nodigden de senatoren van de stad Celsianus uit zitting te nemen in de raad. Hier had de geschiedenis kunnen eindigen, ware het niet dat een detail niet alleen de anekdote verfraait, maar ook licht werpt op de motivatie van rijke ondernemers om een politieke carrière te ambiëren en op de nauwe banden tussen de klasse van machthebbers en de financiers van openbare gebouwen. Toen Celsianus benoemd werd tot senator, was hij nog maar zes jaar oud, dus niet echt in staat mee te denken over de problemen van de stad. Maar de gemeenteraad had zich, in ruil voor toelating van Ampliatus' nageslacht tot de Pompejaanse aristocratie, met alle concrete voordelen en het prestige van dien, wel verzekerd van zeggenschap over zijn fortuin.

In die tijd was een officiële functie, en de bijbehorende plaats tussen de geprivilegieerden van de stad, nog iets dat fel werd begeerd, ondanks de investeringen die men ervoor moest doen. Maar de uitgaven begonnen allengs zwaarder te drukken. Enkele decennia later beklaagde Plinius de Jongere zich in een brief aan keizer Trajanus over de moeite die het hem kostte om onder zijn medeburgers mensen te vinden die iets voelden voor de functie van decurio. Toen de decuriones rechtstreeks verantwoordelijk werden voor de inning van belastinggelden, waarbij ze het in de kas van het centrale gezag te storten bedrag met hun eigen fortuin moesten kunnen dekken, sprak het voor zich dat in de plaatselijke senaten alleen nog maar zeer welgestelde lieden – al waren het maar vrijgelatenen – zitting hadden. Zo kon het gebeuren dat nog later, tegen het einde van de keizertijd, de ware geprivilegieerden degenen waren die deel uitmaakten van de klasse der *immunes*, degenen die vrijgesteld waren van elk openbaar ambt...

Maar in Pompeji was in de tweede helft van de 1ste eeuw, kort voor de uitbarsting van 79, een plaats tussen de aristocraten van de senaat nog een felbegeerd voorrecht. Dit wordt bevestigd door

de talrijke borden waarop de merites van een kandidaat worden opgesomd – en die getuigen van het vuur waarmee campagne werd gevoerd – maar ook door de capriolen die Gaius Julius Polybius voor elke stap in zijn politieke carrière moest uithalen. Zijn Griekse, adellijke naam geeft aan dat hij afstamde van een vrijgelatene van keizer Augustus, die zich dus tijdens de keizertijd in Pompeji had gevestigd. Hij bewoonde een weelderig huis met dubbel atrium uit de Samnitische tijd, dat hij had gekocht als omlijsting voor de maatschappelijke positie die hij door zijn economische succes had bereikt. In zijn huis is een uitgebreide collectie bronzen snuisterijen gevonden, die veel zegt over de luxe waarmee de bezitter ervan zich omringde. Enkele van de mooiste stukken zijn een archaïserende bronzen efebe die een lamp draagt, een wijd uitlopend bronzen vat met een mythologische voorstelling erop en – de bekroning van een collectie oudheden die in die tijd al respectabel was – een van de Peloponnesos afkomstige hydra uit het eind van de archaïsche tijd.

Maar Polybius behoorde tot de 'nieuwe garde', en om zich een weg te banen door het openbare leven moest hij, hoe gefortuneerd hij ook was, met zijn ellebogen werken. Tijdens de hele regeringsperiode van Vespasianus zat hij tot over zijn oren in de politiek. Hij steunde op zijn electoraat, op zijn vermogen een groot aantal stemmen te controleren, en hij spande zich in om zoveel mogelijk politieke allianties aan te gaan met mensen die 'telden' in het openbare leven van de stad. Met een grote politieke behendigheid stelde hij verkiezing na verkiezing zijn naam en zijn relaties ter beschikking van de invloedrijkste mensen, die hij onvoorwaardelijk steunde tijdens hun campagnes. Hierdoor genoot hij, toen de omstandigheden gunstig waren en hij zichzelf kandidaat stelde, op zijn beurt de steun van degenen die hij al die tijd zijn diensten had bewezen.

Hij had zakelijke banden met de corporatie van bakkers. Om geaccepteerd te worden door de aristocratie deed hij er alles aan om over te komen als een geraffineerde intellectueel, zonder echter zijn electorale achterban te verwaarlozen. Op een affiche, een diplomatiek meesterwerkje, presenteerde hij zich als *studiosus et pistor*, 'intellectueel en bakker'. Om de gunst van grote delen van de bevolking te winnen, aarzelde hij niet te putten uit zijn persoonlijke kapitaal, waarin hij de hele gemeenschap liet delen, maar misschien ook bepaalde stadgenoten in het bijzon-

Triclinium met fontein

1ste eeuw n.C.
Huis van het Mozaïek van
Neptunus en Amphitrite,
Herculaneum.

der, zoals men zou kunnen afleiden uit het affiche met de dubbelzinnige slogan 'Kies Julius Polybius als ediel. Hij levert goed brood.'

TWEE PARVENU'S: DE VETTII

Aulus Vettius Conviva en Aulus Vettius Restitutus zijn exemplarisch voor de *nouveaux riches* die vooraanstaande posities wisten te veroveren in de Pompejaanse maatschappij. Over deze twee mannen zelf, vermoedelijk vrijgelatenen en bloedverwanten, weten we niet veel, maar hun huis is zeer bekend: het is het drukst bezochte huis van heel Pompeji en het vertelt veel over zijn toenmalige eigenaars en hun smaak.

Het huis van de Vettii bevat veel aanwijzingen over de veranderingen die de Pompejaanse maatschappij in die tijd onderging. Het roept tevens een duidelijk beeld op van die parvenu's van het laatste uur waarvan Petronius in zijn *Satiricon* met het personnage Trimalchio een zo magistrale karikatuur heeft neergezet.

De Vettii zaten in de handel. Ze hadden verschillende bronnen van inkomsten, waaronder de wijnproduktie. In tal van decoraties in de woning duiken attributen van Mercurius en Fortuna op. Bij de ingang wordt de bezoeker ontvangen door een Priapus, die het *fascinum*, het boze oog, moest bezweren. Zijn omvangrijke geslacht ligt op een weegschaal, terwijl een beurs vol geldstukken als tegengewicht dient. Op de grond staat een mand vol druiven en ander fruit, die de rijkdom van de aarde symboliseert.

Het huis stamt uit de Samnitische tijd en bezit een dubbel atrium. De oorspronkelijke dienstingang is dichtgemetseld, en boven op de dienstvertrekken is een verdieping met huurappartementjes gebouwd. Een kamertje bij de keuken was bestemd voor de prostitutie. Euthichide, een in het huis geboren slavin van Griekse afkomst, verleende er voor geld haar diensten. Een inscriptie bij de ingang looft haar charmes en vermeldt haar prijzen. Kennelijk hadden de Vettii, die nochtans graag overkwamen als beschaafde lieden met verfijnde zeden, geen bezwaar tegen deze manier van geld verdienen.

De Pompejanen hadden de uit de hellenistische tijd stammende traditie overgenomen om in het atrium portretten te plaatsen van de eigenaars van de woning, die de bezoeker als het ware welkom heetten. Voorbeelden van dit gebruik zijn in ver-

Linkerbladzijde
Boven
Amors als edelsmeden
Fresco in de vierde stijl.
Huis van de Vettii, Pompeji.

Onder
Apollo en Omphale
Detail.
Fresco in de vierde stijl.
Huis van de Vettii, Pompeji.

Volgende bladzijden
Architecturale fantasie
Polychroom stucwerk in de vierde stijl.
167 x 180 cm.
Huis van Meleager, Pompeji.
Napels, Museo Archeologico Nazionale.

Boven

De liefde tussen Mars en Venus

Fresco in de derde stijl.
253 x 150 cm.
Huis van de Citerspeler, Pompeji.
Napels, Museo Archeologico Nazionale.

Rechterbladzijde

Banket met courtisane

Fresco in de vierde stijl.
59 x 53 cm.
Herculaneum.
Napels, Museo Archeologico Nazionale.

schillende huizen te vinden, onder meer in het uit de Samnitische tijd stammende patriciërshuis dat wordt toegeschreven aan Paquius Proculus, een magistraat uit de oude Pompejaanse aristocratie. Het portret in die woning stelt de heer des huizes en zijn echtgenote voor: hij heeft een papyrusrol in zijn rechterhand, zij heeft een schrijfstift en een wastablet vast. De boodschap is duidelijk: de eigenaars wilden zichzelf presenteren als ontwikkelde, geletterde lieden die verheven lectuur tot zich namen – en misschien waren ze dat ook.

De Vettii lieten zich in hun atrium afbeelden met lauwerkransen op het hoofd, alsof ze schrijvers of dichters waren. Maar vermoedelijk konden ze, net als Petronius' held Trimalchio, beter

Voorspel tot de liefde

Fresco in de vierde stijl.
31 x 31 cm.
Huis van Meleager, Pompeji.
Napels, Museo Archeologico
Nazionale.

rekenen dan schrijven. Met de snobistische en bombastische decoratie van hun huis hebben ze hun in de handel vergaarde fortuin een nobel tintje willen geven. Overal zien we pedante mythologische scènes met helden en muzen, en portretten van dichters en van figuren van wie niet zeker is dat ze ooit hebben bestaan. Er moet een parallel te trekken zijn met Trimalchio, die tijdens het banket waarvoor hij, ter opluistering van zijn tafel, geletterden had uitgenodigd, allerlei meningen over dichters en redenaars ten beste gaf, verklaarde dat hij twee bibliotheken bezat, een Latijnse en een Griekse, en beweerde dat ook aan tafel de cultuur niet diende te worden verwaarloosd. Trimalchio greep elke gelegenheid aan om wijsheden te spuien, waarbij hij situaties door elkaar haalde en mythologische figuren als Cassandra en Medea, en Daedalus en Epeus met elkaar verwarde. Het huis van de Vettii telt talloze schilderingen, die de vertrekken volgens een ingewikkeld 'programma' verfraaien met aan de mythologie en de tragedies ontleende taferelen, en het is niet moeilijk ons de Vettii te midden daarvan voor te stellen, terwijl ze, als vlees geworden Trimalchio's, hun gasten uit de lucht gegrepen betekenissen op de mouw staan te spelden.

De parallel met Trimalchio is echter nergens zo duidelijk als in het triclinium. Het etaleren van beschaving alleen was niet genoeg: de gasten moesten de rijkdom waarmee die was bemachtigd natuurlijk niet uit het oog verliezen. Daarom waren in het triclinium op een charmante, met kleine amors verfraaide fries alle activiteiten afgebeeld die hadden bijgedragen aan het fortuin van de Vettii. Elk van deze activiteiten had de ruimte toegemeten gekregen die in verhouding stond tot de winst die zij had opgeleverd. Om geen twijfel te laten bestaan over de aanzienlijkheid van hun fortuin, prijkten in het atrium twee brandkisten. Deze kisten stonden op poten, maar hun bodem rustte op een platform van metselwerk, om te voorkomen dat hij inzakte onder het gewicht van de inhoud.

We kunnen in Trimalchio een portret zien van de Vettii, of de belichaming van de grove mentaliteit van een triomfantelijke klasse. Wat Pompeji betreft vond deze klasse bij Petronius niet zozeer een literaire karikatuur als wel een letterlijke beschrijving van zichzelf.

Sater en Hermaphroditus
Fresco in de derde stijl.
51 x 56 cm.
Pompeji.
Napels, Museo Archeologico
Nazionale.

Erotisch tafereel
Fresco. 1ste eeuw n.C.
41 x 41 cm.
Pompeji.
Napels, Museo Archeologico
Nazionale.

BEELDEN VAN HET DAGELIJKS LEVEN

Boven

Ibis

Fresco in de vierde stijl.
82 x 56,5 cm.
Isis-tempel, Pompeji.
Napels, Museo Archeologico Nazionale.

Linkerbladzijde

Landschap met de heilige deur

Detail.
Fresco in de vierde stijl.
102 x 126 cm.
Isis-tempel, Pompeji.
Napels, Museo Archeologico Nazionale.

De uitzonderlijke rijkdom van de informatie die we uit deze absoluut unieke bron kunnen putten, maakt niet alleen een gedetailleerde kennis van de geschiedenis van de stad mogelijk, maar vooral ook van het dagelijks leven van de inwoners van die stad. Zij lijken te ontwaken uit hun tweeduizendjarige slaap om ons hardop te vertellen over de passies, de hoop, de verlangens en de problemen die het raamwerk vormden van hun leven. Hoeveel menselijke lotgevallen zijn in Pompeji niet, dwars door de as en de lapilli heen, aan het daglicht gekomen, om de zeden en gebruiken te onthullen van een maatschappij die zeker verschilt van de onze, maar waarvan de existentiële vragen zo herkenbaar zijn! Om mee te kunnen voelen met de vreugdevolle en de treurige kanten van het bestaan uit die tijd, hoeven we maar een blik te werpen op de vele facetten van het leven dat zich toen, 2000 jaar geleden, afspeelde in de beschermende en dreigende schaduw van de Vesuvius.

RELIGIE, MAGIE, BIJGELOOF

De officiële religie had in de Romeinse wereld een voornamelijk openbaar en formeel karakter, dat eerder met politiek te maken had dan met persoonlijke gevoelens. Het was voor alles een sociaal ritueel, met onwrikbare regels omtrent formules en geba-

Boven

Isis-tempel

1ste eeuw n.C.
Pompeji.

Rechterbladzijde

Ceremonie uit de Isis-cultus

Fresco in de vierde stijl.
80 x 85 cm.
Herculaneum.
Napels, Museo
Archeologico Nazionale.

ren, waaraan men zich nauwkeurig diende te houden omdat het effect anders teniet zou worden gedaan. Het gebed was niet meer dan een belofte: men bood een offer aan, en in ruil daarvoor verwachtte men in een bepaalde situatie de gunst van de godheid. De verering van de drie Capitolijnse goden en van de keizer had op de eerste plaats een politieke functie en zorgde voor de spirituele cohesie tussen de vele steden en provincies van het Romeinse rijk.

De filosofie had de ontwikkelde klassen echter doordrongen van het niet-bestaan van de godenfamilie op de Olympus. Het was dus niet vreemd dat men steeds meer belangstelling kreeg voor uit de Oriënt overgewaaide cultussen – zoals die van Sabazio, Dionysus of de Magna Mater. In Pompeji vereerde men niet alleen Venus Physica, de beschermgodin van de stad en de Romeinse variant van de aloude Italische godheid van de vruchtbaarheid van de natuur, Mercurius, de beschermer van de handel, en Dionysus-Bacchus, die extase en wijn verschafte, maar ook de uit Egypte afkomstige Isis. De bloeiende handel met Alexandrië had deze cultus naar Campanië gebracht, waar hij mensen aansprak die gevoelig bleken voor de initiatieriten of op zoek waren naar innerlijke rust en eeuwig geluk na de dood. In een aantal rijke Pompejaanse woningen zijn aan Isis en aan het genootschap der Isiaci gewijde kapellen en tempeltjes gevonden. De Isis-tempel die niet ver van het driehoekige forum werd gebouwd, is het enige monument dat na de aardbeving van 62 volledig is gerestaureerd.

De omvangrijke muurschilderingen met Dionysische thema's in de schitterende villa van de Mysteriën, leveren ons via de allegorieën van de artistieke taal uitgebreide informatie over de geheime Dionysische riten. Ten tijde van de Republiek was het aanhangen van en het inwijden in de Dionysische mysteriën verboden, maar men bleef het toch doen, in besloten, vooral aristocratische kring.

Daarentegen was de huiselijke verering algemeen verbreid. De *pater familias*, die waakte over de liturgische traditie van zijn familie, had hierin de leiding. Men eerde de laren, geesten van de voorouders, de penaten, hoeders van het harmonieuze gezinsleven, en de familie-genius, de levenskracht van het hoofd van de familie, gesymboliseerd door een slang. In elk huis stonden op een huisaltaar beeldjes en andere beeltenissen van de bescherm-

Linkerbladzijde

De godin Isis ontvangt Io in Canopus in Egypte

Detail.
Fresco in de vierde stijl.
150 x 137,5 cm.
Isis-tempel, Pompeji.
Napels, Museo Archeologico Nazionale.

Io baarde Epaphus, zoon van Zeus. Epaphus werd koning van Egypte.

Onder

Kop van de godin Isis

Marmer. 1ste eeuw n.C.
Hoogte: 30 cm.
Isis-tempel, Pompeji.
Napels, Museo Archeologico Nazionale.

Rechterbladzijde

De citerspeler

Fresco in de derde stijl.
56 x 60,5 cm.
Pompeji.
Napels, Museo Archeologico Nazionale.

Onder

De dochters van Leucippus, bikkelend

Schildering op marmer van Alexandros van Athene.
Begin van de 1ste eeuw n.C.
42 x 89 cm.
Herculaneum.
Napels, Museo Archeologico Nazionale.

goden van de familie, waaraan men voor het slapen gaan offers bracht in de vorm van voedsel of door drank te plengen in de haard. Tijdens religieuze plechtigheden naar aanleiding van bijzondere gebeurtenissen zoals huwelijk, dood en geboorte, verzamelden alle huisgenoten zich rond het huisaltaar.

Meer misschien dan door de religie werden de mensen beheerst door het bijgeloof, vooral in de armere milieus. Het geloof in het *fascinum*, de kwalijke uitwerking van jaloerse blikken, was wijd verbreid, en ook in hogere kringen beproefde men van alles om het kwaad te voorkomen of af te wenden op een ander. Voorbeelden van middelen die het fascinum moesten afweren zijn de *oscilla*, marmeren maskers, die tussen de zuilen van het peristylium van het huis van de Vergulde Cupido's hangen, en de *bullae*, veelal gouden medaillons die men om de hals van kinderen hing. Bij het volk was de fallus veruit het favoriete afweermiddel, en sculpturen in die vorm waren dan ook bij de ingang van vele huizen en winkels te vinden. De fallus stond voor de positieve oerkracht van de natuur en zou in staat zijn kwalijke invloeden krachteloos te maken. Er waren echter ook mensen die hun huis onder de bescherming plaatsten van Hercules, de 'goede god', of van het Geluk.

In Pompeji werd ook magie beoefend. Er zijn potten gevonden waarin men magische aftreksels en drankjes prepareerde, en ook *defixiones*, houten plankjes met een spijker erdoor, die met de naam van degene die men onheil toewenste erop werden begraven.

VERKIEZINGSPROPAGANDA

Elk jaar in maart barstte in de stad de verkiezingsstrijd los tussen de kandidaten voor de plaatselijke magistratuur. Wanneer de senaat had vastgesteld dat zij inderdaad beschikten over het fortuin dat voorwaarde was voor verkiesbaarheid, dan stelden de *candidati* – zo genoemd naar hun *toga candida*, witte toga, die symbolisch was voor hun smetteloze levenswandel – zich op het forum voor aan het volk en zetten ze vanaf het *suggestum*, de sprekerstribune, hun politieke programma uiteen. Elk jaar werden twee *duumviri* en twee edielen gekozen: de eerste twee kregen een burgemeestersfunctie, bewaakten de schatkist en hielden de rechtspraak bij, de andere twee hadden wethouderstaken.

De muzikanten

Details.
Mozaïek in de eerste stijl. Werk van Dioskorides van Samos.
43 x 41 cm.
Villa van Cicero, Pompeji.
Napels, Museo Archeologico Nazionale.

Scène uit koningsdrama

Fresco in de derde stijl.
39 x 39 cm.
Herculaneum.
Napels, Museo Archeologico Nazionale.

Rechterbladzijde

Scène uit een komedie: raadpleging van een tovenares

Mozaïek in de eerste stijl.
42 x 35 cm.
Huis van Cicero, Pompeji.
Napels, Museo Archeologico Nazionale.

ΔΙΟΣΚΟΥΡΙΔΗΣ ΣΑΜΙΟΣ ΕΠΟΙΗΣΕ

Brood, noten en olijven, geconserveerd door de vulkanische as van de Vesuvius

79 n.C.
Pompeji.
Napels, Museo Archeologico Nazionale.

Hoewel alleen vrije, meerderjarige, mannelijke burgers mochten stemmen, wierp het hele actieve deel van de bevolking, met inbegrip van vrouwen en slaven, zich in de strijd door partij te kiezen voor een van de kandidaten. Alles was toegestaan, en de muren van de stad raakten overdekt met affiches. Het gebeurde wel dat burgers daarop een voorkeur uitspraken voor één specifieke kandidaat, ook wanneer al voor de verkiezingen allianties waren gesloten, men gezamenlijk programma's had opgesteld of zich als duo verkiesbaar stelde voor een functie. Maar de kandidaten en hun aanhangers steunden op dit soort initiatieven om kiezers te winnen, die ze zelf ook benaderden met zeer gerichte argumenten, bijvoorbeeld door hen te herinneren aan vroegere gunsten of hun nieuwe in het vooruitzicht te stellen.

De teksten op de affiches loofden over het algemeen de morele kwaliteiten van toekomstige magistraten of wezen op hun verdiensten en eerdere goede daden, maar er waren ook schotschriften bij. Zo verklaarden bewoners uit het kiesdistrict van het forum zich tegen de verkiezing van een zekere Cerrinus Vatia. Om hem in diskrediet te brengen werden zijn aanhangers omschreven als 'slaapkoppen', 'nachtbrakers', 'kippendieven', 'voortvluchtige slaven' of zelfs als 'moordenaars'. Ook voor persoonlijk getinte wraakacties deinsde men niet terug. Zo werd de met grote consensus gekozen Paquius Proculus middels een subtiel ironisch gedicht beschuldigd van homoseksualiteit en exhibitionisme en zijn kiezers van domheid: 'De blatende kudde heeft Procula gekozen als ediel. Toch zijn de waardigheid van een rechtschapene en respect voor de functie vereisten daarvoor.'

De gekozenen moesten uit eigen middelen een openbaar bouwwerk of spelen financieren, en natuurlijk moesten ze ook het personeel dat nodig was voor het bestuursapparaat van de stad uit eigen zak betalen. Maar na een ambtsperiode van een jaar werden ze dan uitgenodigd toe te treden tot de orde van decuriones, ofwel de senaat van de stad, het centrum van het gemeentelijke gezag, waar de beslissingen werden genomen. De leden van deze raad genoten bijzondere voorrechten, zowel formele – de beste plaatsen in het theater waren voor hen gereserveerd – als materiële – ze hadden gratis stromend water in hun huis en bij de verdeling van schenkingen mochten ze het grootste deel voor zichzelf houden. Tot slot konden ze niet worden veroordeeld tot smadelijke straffen.

Broodverkopers

Fresco. 1ste eeuw n.C.
62 x 53 cm.
Huis van de Bakker, Pompeji.
Napels, Museo Archeologico
Nazionale.

Door het grote aantal min of meer arme mensen zagen de magistraten zich genoodzaakt enige veiligheidskleppen in te bouwen, om eventuele onrust af te kunnen leiden van het sociale systeem. Spelen en spektakels waren in dit verband belangrijke middelen. De gekozen magistraten hadden de officiële verplichting een openbaar gebouw te financieren óf het volk spelen aan te bieden, waaruit we kunnen concluderen dat men spelen broodnodig achtte. De grafschriften van sommige Pompejaanse hoogwaardigheidsbekleders maken nadrukkelijk melding van de fabelachtige spelen die ze organiseerden, en uit graffiti blijkt het enthousiasme van de bevolking over degenen die zorgden voor gladiatorengevechten. Op de muren zijn ook tekeningetjes van gladiatoren gevonden, met hun namen en hun overwinningen, als een overzicht van sportuitslagen. Voorts staan er aankondigingen op van spektakels in het amfitheater, in Pompeji of in steden uit de buurt, wat doet vermoeden dat de gladiatoren supporters hadden die hen van stad naar stad volgden. In deze aankondigingen werd vermeld welke gladiatoren in het strijdperk zouden treden – tegen elkaar of tegen wilde dieren, en soms werd er als bijzonderheid bij vermeld dat over de cavea een linnen doek zou worden gespannen, tegen de zon. De gladiatoren, die werden verafgood door het publiek, waren bijzonder geliefd bij de vrouwen, en het kwam dan ook voor dat op de muren niet alleen hun overwinningen in de arena maar ook die op het amoureuze vlak werden bejubeld.

Ook toneelspelers, en dan met name de pantomimisten, waren echte sterren. In Pompeji zijn naast de namen van verschillende acteurs en zangers, meestal vrijgelatenen, graffiti te lezen van 'paridiani', fans van de acteur Parides, die een ware vedette was.

De formele strengheid van de Romeinen leverde een wet op die nauwkeurig aangaf hoe de plaatsen tijdens de toneelvoorstellingen moesten worden verdeeld. Een plaats in de *proedria* was een fel begeerd voorrecht, dat alleen bij decreet kon worden verleend en was voorbehouden aan hoogwaardigheidsbekleders zoals de decuriones. Men had er flinke sommen gelds voor over. Voor degenen die het hadden bemachtigd, was dit recht een teken van de officiële erkenning van de plaats die ze innamen in de hiërarchie en een mogelijkheid daar in het openbaar mee te pronken.

Korenmolens

1ste eeuw n.C.
Bakkerij van Popidius Priscus,
Pompeji.

Deze molens zijn gemaakt van basalt uit Roccamonfina. De bovenste, draaiende steen had de vorm van een zandloper en paste op de naar boven taps toelopende onderste steen, die verankerd was. Het graan werd boven in de bovenste steen gestort, tussen de langs elkaar schurende stenen tot meel gemalen en vervolgens onderaan opgevangen.

Stilleven met fruitschaal

Detail.
Fresco in de vierde stijl.
74 x 234 cm.
Huis van Julia Felix, Pompeji.
Napels, Museo Archeologico
Nazionale.

Een ander tijdverdrijf voor de Pompejanen was het balspel, dat in de *gymnasia* bij de thermen werd beoefend door de *pilicrepi*. Ze kenden ook een soort schaakspel, *latrunculi*, en spelletjes met bikkels. Het dobbelspel was het populairste gokspel. In een inscriptie noemt een Pompejaan het bedrag dat hij ermee heeft gewonnen in Nuceria, en hij zegt erbij dat hij niet vals heeft gespeeld. Zijn mededeling vertelt ons onbedoeld ook iets over de aard van de kroegen, waarvan er veel een soort speelhol moeten zijn geweest. Er zijn zelfs vervalste dobbelstenen gevonden, waarin lood is gegoten om ze zwaarder te maken.

ETEN EN DRINKEN

Het volledige middagmaal, 'van het ei tot de appel', kwam alleen op tafel tijdens banketten, die na het vallen van de avond bij het licht van fakkels werden gehouden in luxueuze triclinia. Men begon met een voorgerecht, nuttigde vervolgens verschillende vlees- en visschotels, en eindigde met het dessert, dat bestond uit allerhande gebak en fruit. De gangbaarste vleessoorten waren gevogelte, schape- en varkensvlees. Ook wild werd zeer gewaardeerd: in de bossen aan de voet van de Vesuvius wemelde het van de hazen, herten, fazanten en wilde zwijnen. Het vlees werd gekookt, gestoofd of geroosterd, en bijna altijd gevuld. In de Pompejaanse keukens zijn in pannen en tussen de kolen allerlei botten van dieren gevonden. Het vlees werd vaak in stukken gesneden en ging altijd vergezeld van *garum*, een zoute, sterk aromatische saus van in de zon gefermenteerde en vervolgens gezeefde visjes.

Vis, waaronder een aantal verfijnde soorten, zoals tong en moeraal, en schaaldieren kwamen vaak op de Pompejaanse tafel. In de gebouwen bij de haven is veel vistuig aangetroffen. Venusschelpen en kokkels waren hapjes die men at terwijl men door de tuin wandelde, zoals blijkt uit het feit dat tijdens een recente opgraving langs bloemperken veel schelpen zijn gevonden.

Op de wanden van het triclinium van iemand die kennelijk vaak gasten ontving, zijn de volgende aanwijzingen aangebracht:

'Was met het water je voeten, een bediende komt ze erna afdrogen. Bedek je bed met een servet er zorg ervoor dat je ons linnen kleed niet bevlekt.

Flirt niet met de vrouw van een ander en werp haar geen verlangende blikken toe. Gebruik decente taal.

Stilleven met konijn, fruit en vogel

Detail.
Fresco in de vierde stijl.
41 x 129 cm.
Herculaneum.
Napels, Museo Archeologico Nazionale.

Spreek je buurman niet tegen en onthoud je van verwerpelijke discussies. Als je het kunt. En ga anders terug naar huis.'

Afgezien van de banketten waren de maaltijden redelijk sober en bestonden ze uit een voor- en een hoofdgerecht. De kool, ui en knoflook uit de streek waren gerenommeerd en werden op grote schaal verbouwd. Het ontbijt was heel eenvoudig en bestond uit een beetje brood en kaas of uit een kliekje van de vorige dag. Men at meestal buitenshuis, in een van de vele thermopolia, waar snacks zoals worstjes of gebakken vis te koop waren. Venters verkochten beignets, wafels of koeken, die allemaal waren bereid met honing. Om te bakken gebruikte men spek of olie.

Boven

Stilleven met vogels en paddestoelen

Detail.
Fresco in de vierde stijl.
37 x 154 cm.
Herculaneum.
Napels, Museo Archeologico Nazionale.

Rechterbladzijde

Stilleven met vissen

Fresco in de vierde stijl.
37 x 43 cm.
Pompeji.
Napels, Museo Archeologico Nazionale.

Thee, koffie en sterke drank kende men niet, en de enige verkwikkende drank was wijn, die afhankelijk van het tijdstip van de dag werd aangelengd met meer of minder water. In de winter werd de wijn warm geserveerd en in de zomer gekoeld met sneeuw, die op de bergen werd verzameld en op de bodem van speciaal daarvoor bestemde kuilen werd bewaard – al was het bezit van een dergelijke koelkast maar voor weinigen weggelegd. De drank werd gezoet met honing. Men kon ook most, wijn van op stro gedroogde druiven en geresineerde wijn kopen. De kwaliteit van de wijn was afhankelijk van de druivesoort. Pompejaanse wijn werd uitgevoerd en vormde dus een bron van inkomsten voor de stad. Niettemin moest hij jong worden gedronken, wat de waarde ervan sterk verminderde.

LIEFDE, DEUGDEN EN ONDEUGDEN

Pompeji was gewijd aan Venus, en de liefde werd er op alle mogelijke manieren bezongen, bedreven en vereerd. Bij de vele schilderingen die op de muren van de bedsteden de erotische omhelzing in al haar verschijningsvormen illustreren, voegen zich de liefdesbrieven op de muren van de huizen, die prille geliefden koortsachtig uitwisselden. Gelegenheidsdichters legden in onsterfelijk geworden verzen hun aanbidding voor een vrouw vast, of de wanhoop van een ongelukkige liefde, om de mening en het medeleven van passanten te vragen.

Ook de jaloezie, een gevoel van alle tijden, steekt op de met graffiti bedekte muren de kop op. Soms maakte men zich vrolijk om een bedrogene, soms beklaagde men hem. Soms zocht hij zelf vertwijfeld naar een uitweg uit zijn ellende. Volgens een inscrip-

Boven

Olielampje

Terracotta. 1ste eeuw n.C.
Hoogte: 7 cm.
Pompeji.
Napels, Museo Archeologico
Nazionale.

Rechterbladzijde

Tintinnabulum

Brons. 1ste eeuw n.C.
Lengte: 21 cm.
Herculaneum.
Napels, Museo Archeologico
Nazionale.

Het *tintinnabulum* hing men bij de ingang van huizen en winkels, opdat het getinkel van de belletjes de boze geesten op een afstand hield. De fallus bracht voorspoed, omdat hij het boze oog op een ander richtte.

tie waren twee mannen klaar voor een duel om een serveerster uit een herberg. Elders lieten vrouwen, jong en onwetend of oud en door de wol geverfd, weten wantrouwig te staan tegenover al te gewaagde avances. Of ze onthulden onomwonden hun eisen, of lieten weten hoe tevreden – of ontevreden – ze waren over de kwaliteiten hun minnaar. Matrones uit de hoogste kringen gaven openlijk uiting aan hun bewondering voor gladiatoren.

Alles was mogelijk en niets leek zondig. Homoseksualiteit was voor zowel mannen als vrouwen heel gewoon, en ook van pedofilie of trio's en kwartetjes stond niemand te kijken. Bij de ingang van gespecialiseerde herbergen moedigden mannen de animeermeisjes schriftelijk aan zich te ontkleden om hun charmes te tonen. Een oudere man die een gezellin zocht voor de komende jaren, had er het volste vertrouwen in dat hij aan al haar wensen zou kunnen voldoen. In de huizen waren de slaven, jongens en meisjes, een gebruikelijke en gemakkelijke prooi voor hun meesters. Buiten de stadspoorten strikten prostituées passanten, om hen mee te tronen naar beschutte plekjes achter de grafmonumenten langs de weg. Anderen boden in een bordeel hun lichaam aan, voor de prijs van een brood of een kruikje wijn – wat dan wel ten goede kwam aan hun baas. Ook aristocratische dames bezweken voor de lokroep van het geld, waarbij het natuurlijk interessantere bedragen betrof. Zo konden rijke Pompejanen zich ook door beeldschone, elegante en ontwikkelde dames uit de slaap laten houden. Mannen prostitueerden zich eveneens: een gigolo verklaarde in een inscriptie ook beschikbaar te zijn voor maagden.

De muren van Pompeji tonen ons een bonte verzameling mensen, geven ons de namen van honderden van hen en vertellen over hun liefdes, hun vreugde en hun verdriet. Bij het lezen van een huwelijksaankondiging en de felicitaties voor het jonge paar zien we als het ware de bruiloftsstoet al langskomen en horen we de zegenwensen van de genodigden.

Maar ware liefde is een duurzaam gevoel, en er zijn tal van inscripties te vinden die de voordelen noemen van matigheid en trouw, van een kalm leven met zijn tweeën, dat 's nachts wordt doorgebracht in het bed waarin de namen van de echtelieden zijn gegrift. Ook dat is Pompeji, waar we de polsslag van het dagelijks leven nog voelen, waar een tweeduizend jaar oud maar ijzersterk hart nog zachtjes klopt – hard genoeg om ons te fascineren.

Volgende bladzijden
Links
Priapische olielampjes

Terracotta. 1ste eeuw n.C.
Hoogte: 11,6 cm.
Pompeji.
Napels, Museo Archeologico Nazionale.

Priapus, zoon van Dionysus en Aphrodite, was de god van de vruchtbaarheid.

Midden
Fallische bekers

Terracotta. 1ste eeuw n.C.
Hoogte: 9,5 cm.
Pompeji.
Napels, Museo Archeologico Nazionale.

Koekverkopers

Brons en zilver. 1ste eeuw n.C.
Hoogte: 25,4 cm.
Huis van de Efebe, Pompeji.
Napels, Museo Archeologico Nazionale.

Rechts
Priapisch olielampje

Brons. 1ste eeuw n.C.
Hoogte: 22 cm.
Pompeji.
Napels, Museo Archeologico Nazionale.

CONCLUSIE

Paquius Proculus en zijn vrouw
Fresco in de vierde stijl.
65 x 58 cm.
Huis VII, 2, 6, Pompeji.
Napels, Museo Archeologico Nazionale.

Sinds de 17de eeuw fascineren de ruïnes van Pompeji de westerse wereld. Dichters, schrijvers, beroemde reizigers, fotografen, schilders, graveurs, musici en filmmakers lieten zich ontroeren en meeslepen door het lot van de stad en hebben in hun werk de betoverende sfeer van de ruïnes vastgelegd.

De opgegraven resten, het fameuze rood van de wandschilderingen, de decoratieve grotesken en het meubilair uit de huizen vormen een vast punt in het historische referentiekader waarop de moderne smaak is gebaseerd. Wie door de straten van de stad loopt en de huizen, de winkels, de werkplaatsen binnengaat, zal zich verbazen over de rijkdom van die beschaving en met iets van melancholie stilstaan bij de broosheid en de vergankelijkheid van alles.

Toch heeft Pompeji ons geen imposante monumenten geschonken, die, zoals de Egyptische pyramides of de Griekse tempels, de eeuwigheid tarten, en ook geen waarlijk grootse kunst. Het stadje aan de voet van de Vesuvius toont ons nederige winkeltjes en kleine en grotere huizen, waar voortdurend aan werd verbouwd. In deze panden hebben we van alles gevonden – van alledaagse voorwerpen tot protserige meubelen. En via de muren en de gewone dingen spreekt tot ons, luid en duidelijk, het karakter van een maatschappij, die zich zonder terughoudendheid aan ons laat zien. Maar Pompeji maakt misschien ook nog

Boven

Dansende maenade en sater

Inlegwerk van veelkleurig marmer.
1ste eeuw n.C.
23 x 67 cm.
Huis VII, 4, 31-51, Pompeji.
Napels, Museo Archeologico Nazionale.

Rechterbladzijde

Architectonische decoratie met zuilen en deur

Detail.
Fresco in de tweede stijl.
Middenpaneel, 337 x 120 cm.
Villa van Fannius Sinistor, Boscoreale.
Napels, Museo Archeologico Nazionale.

iets anders duidelijk: we herkennen er iets in van de mensheid die onvermoeibaar op zoek is naar zichzelf, die op elk moment uit haar geschiedenis heeft geworsteld met dezelfde problemen, dezelfde ambities, hetzelfde verlangen naar bevestiging.

In Pompeji toont de mens van weleer zich naakt, zonder geheimen aan de mens van onze tijd. En de mens van nu ziet de mens van toen in de universele, autonome dimensie die de Oudheid om hem heen tovert, en heeft in hem een middel tot zelfreflectie, om na te denken over zijn eigen gevoelens en zijn eigen passies, die hoe dan ook schatplichtig zijn aan gebeurtenissen uit het verleden. Het verschil tussen de mens van toen en die van nu is niet groot. De manier waarop het leven wordt ervaren, blijft door de tijden heen hetzelfde. Het huis waarin en de omstandigheden waaronder het zich afspeelt, nemen voortdurend andere vormen aan, maar de mens en zijn gevoelens veranderen niet wezenlijk.

'Er is niets nieuws onder de zon,' verkondigde men al ruim voor het begin van onze jaartelling. Het mirakel van de ontdekking van Pompeji is dat wij er een dieper besef aan over hebben gehouden van de eindeloze stroom van het leven. Het dagelijkse leven in de Oudheid werd voor ons ineens tastbaar, en bleek *idem et alius* te zijn, hetzelfde maar toch anders, ondanks of dank zij de verstreken tijd.

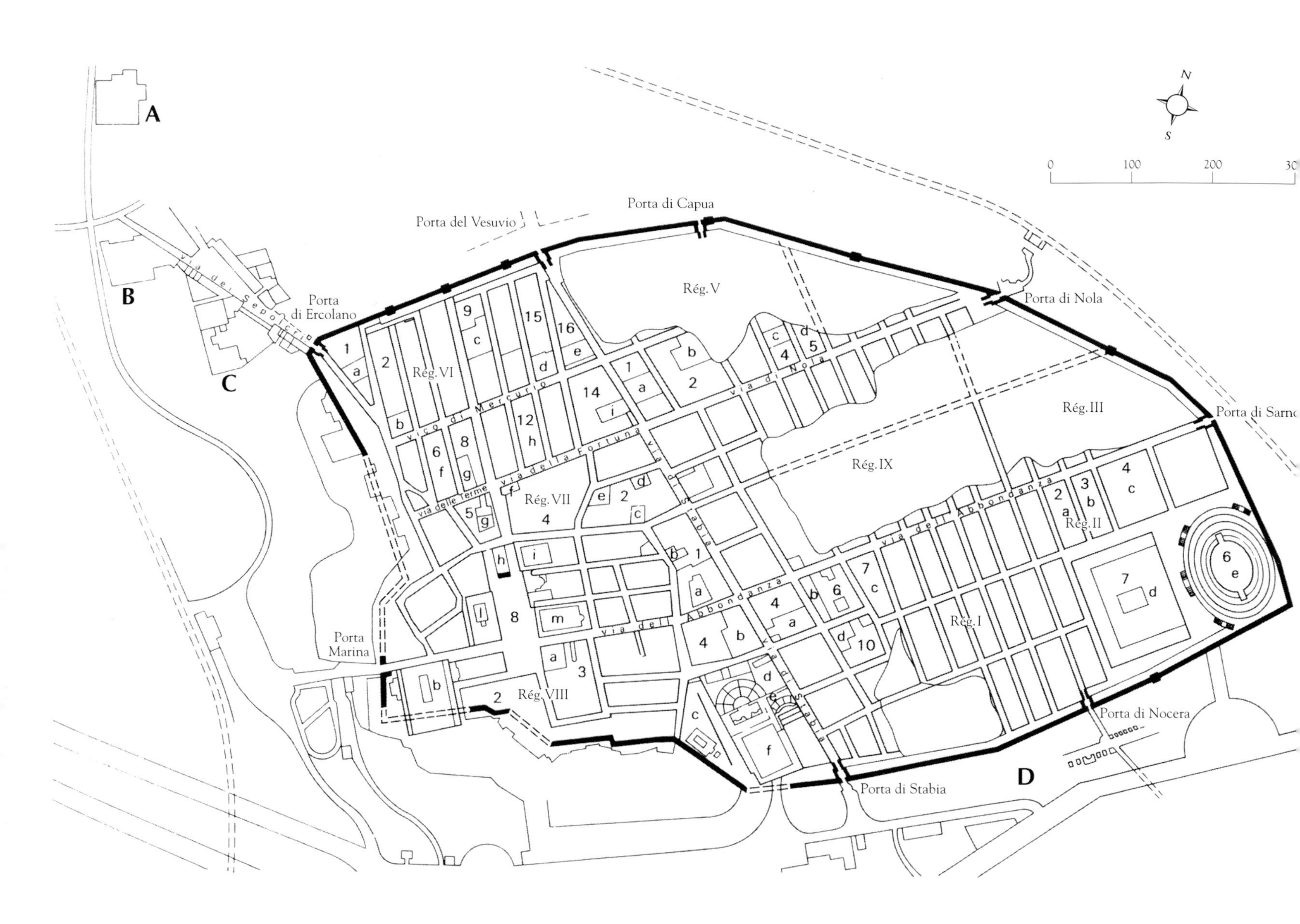

Reg. I
4, a huis van de Citerspeler
6, b huis van de Cryptoporticus
7, c huis van Paquius Proculus
10, d huis van Menander

Reg. II
2, a huis van Loreius Tiburtinus
3, b huis van Venus
4, c huis van Julia Felix
6, e amfitheater
7, d palaestra

Reg. V
1, a huis van Caecilius Jucundus
2, b huis van de Zilveren Bruiloft
4, c huis van M. L. Fronto
5, d huis van de Gladiatoren

Reg. VI
1, a huis van de Chirurg
2, b huis van Sallustius
6, f huis van Pansa
8, g huis van de Tragische Dichter
9, c huis van Meleager
12, h huis van de Faun
14, i huis van Orpheus
15, d huis van de Vettii
16, e huis van de Vergulde Cupido's

Reg. VII
1, a Stabiaanse thermen
1, b herberg van Sittius
2, c huis van de Beer
2, d huis van Gaius Rufus
2, e ovens
4, f tempel van Fortuna Augusta
5, g thermen van het forum
8 forum
8, h Jupiter-tempel
8, i macellum
8, l Apollo-tempel
8, m gebouw van Eumachia

Reg. VIII
2, b Venus-tempel
3, a comitium
4, b huis van Cornelius Rufus
4, c driehoekig forum
4, d grote theater
4, e odeon
4, f gladiatorenkazerne

A villa van de Mysteriën
B villa van Diomedes
C villa van Cicero
D dodenstad

HOE U ZICH ORIËNTEERT IN HET OUDE POMPEJI

Een vreemdeling die in de Oudheid in Pompeji iemand moest zien te vinden, liet zich door mensen uit de buurt zijn huis wijzen.

In de Oudheid waren adressen maar zeer vage aanduidingen. Men noemde bijvoorbeeld een nabijgelegen openbare plaats, of de naam van de wijk.

Op een muur in Pompeji is een inscriptie te zien met het adres van een dame uit Nuceria die in Pompeji heel wat harten had gebroken en wier naam van mond tot mond ging: 'Vraag in Nuceria naar Novella Primigenia, bij de Romeinse Poort, in de wijk van Venus.' Met dergelijke aanwijzingen was de bezoeker wel genoodzaakt nadere informatie in te winnen bij buren. De mensen leefden dicht op elkaar en iedereen kende elkaar wel van gezicht en naam. Het was dus nooit moeilijk iemand te vinden.

De relaties in de buurt, die, zoals we hebben gezien, een belangrijke rol speelden bij de verkiezingscampagnes en politieke propaganda, zorgden voor een extreem sterke band binnen de gemeenschap en een gevoel van veiligheid en solidariteit. Men verleende elkaar allerlei diensten en er golden allerlei ongeschreven maar diep in het maatschappelijke leven verankerde regels.

Uit inscripties zijn ons de namen van twee van de poorten van de stad bekend, de Porta Salina en de Porta Urbulana, en die van

Processie
Fresco. 1ste eeuw n.C.
66 x 75 cm.
Gevel van de werkplaats VI, 7, 8, Pompeji.
Napels, Museo Archeologico Nazionale.

enkele straten en bepaalde gebouwen, maar vooral die van de verschillende wijken. Deze wijken waren tevens de administratieve districten, en als zodanig in verkiezingstijd van groot belang. In Pompeji hield de naam van de wijken verband met hun topografische ligging. De *Urbulenses* woonden in de buurt van de Porta Urbulana (nu de Porta Sarno) en de *Salinienses* bij de Porta Salina (de huidige Porta Ercolano). De *Campanienses* woonden bij de Porta Capua (die is omgedoopt tot Porta di Nola), de *Forenses* bij het forum en de Porta Forensis (nu de Porta Marina). *Pagani* waren inwoners van Pagus Augustus Felix Suburbanus, een voorstad buiten de muren.

Giuseppe Fiorelli heeft Pompeji in de 19de eeuw op wetenschappelijke gronden verdeeld in negen wijken, *regiones*, die elk bestaan uit verschillende *insulae*, huizenblokken, waarlangs aan alle zijden een straat loopt (behalve bij de *insula occidentalis*). Deze insulae zijn genummerd in volgorde van opgraving. De woningen in de blokken zijn ook weer genummerd. De aanduiding VII, 4, 48 betekent dat het huis te vinden is op nummer 48 van blok 4 in regio VII. Op de plattegrond op bladzijde 200 zijn de woningen, om verwarring met de nummers van de blokken te voorkomen, aangeduid met een letter.

De namen die in de moderne tijd zijn gegeven aan de huizen en de villa's verwijzen maar zelden naar de vroegere eigenaar ervan (huis van de Vettii, huis van Lucretius Fronto), die niet in alle gevallen is geïdentificeerd. Vaker slaan ze op vondsten die in de woning zijn gedaan (huis van de Faun, huis van de Efebe, huis van het Indiase Beeldje) of op gebeurtenissen die te maken hebben met het moment van blootlegging (huis van het Eeuwfeest, huis van de Zilveren Bruiloft). Ook verwijzen ze wel naar architectonische kenmerken (huis van de Cenacula met Zuilen, huis van de Vier Stijlen) of in het huis aangetroffen schilderingen of portretten (huis van Menander, huis van Orpheus).

POMPEJI:
ERFGOED DAT MOET WORDEN BESCHERMD

Pompeji is een levend organisme, niet alleen omdat in de straten ervan nog het hart klopt van het leven in de antieke wereld, maar ook omdat de stad in de moderne tijd aan een tweede leven is begonnen. In Pompeji werken dagelijks honderden mensen aan de opgravingen, de conservering, het onderhoud, de restauraties en het beheer. Zij maken het mogelijk dat er jaarlijks ruim anderhalf miljoen bezoekers worden ontvangen.

Pompeji is een heel omvangrijk organisme – en daardoor des te kwetsbaarder. Het vraagt om specialisten, en om zeer specifieke technieken.

De stad is niet gebouwd met de intentie de eeuwen te trotseren. Voor de huizen werden heel eenvoudige materialen gebruikt, en ze werden geregeld verbouwd. Schilderingen werden ongeveer elke generatie vervangen door nieuwe. Wij hebben nu de zware taak deze kostbare overblijfselen zo lang mogelijk te bewaren, zonder ze hun levenskracht te ontnemen door ze uit hun context te halen.

Op dit moment, en eigenlijk al sinds in 1980 een aardbeving zware schade aanrichtte, wordt er meer geconserveerd dan gegraven. De nadruk ligt hierbij niet zozeer op het conserveren en restaureren van afzonderlijke bouwwerken als wel van hele wijken, waarbij men niet alleen rekening houdt met de architectonische structuur, of de decoraties, maar bijvoorbeeld ook met de tuinen.

Nijltafereel
Fresco in de vierde stijl.
75 x 127 cm.
Peristylium van het huis VIII, 5, 24, Pompeji.
Napels, Museo Archeologico Nazionale.

Het leven aan de Nijl, een veel voorkomend thema in de Pompejaanse schilderkunst, werd soms op karikaturale wijze verbeeld.

Het onderzoeksprogramma is begonnen bij de woonblokken in het zuidoostelijke deel van de stad, die in de jaren vijftig zijn blootgelegd en slechts ten dele wetenschappelijk zijn onderzocht. Deze blokken zijn ook minder bekend bij het publiek dan de rest van de stad, hoewel ze essentieel zijn voor een juist begrip van de stad als geheel.

Het archeologische werk is tegenwoordig regelrecht laboratoriumwerk. Om de werkelijkheid die hij ontdekt beter te kunnen begrijpen, omringt de archeoloog zich met allerlei wetenschapsmensen. Zo analyseert men kooldeeltjes om de houtsoort die voor dakgebinten werd gebruikt te identificeren, maar ook de resten van in potten achtergebleven substanties om vast te stellen wat er precies in heeft gezeten. In de tuinen maakt men afgietsels van de gaten die zijn achtergebleven op de plaatsen waar wortels hebben gezeten en zoekt men naar stuifmeeldeeltjes, in de hoop meer te weten te komen over de plantesoorten die de Pompejanen kweekten en hun plaats in de tuin. Menselijke botten worden bestudeerd, omdat eruit af te leiden valt wat men zoal at en aan welke ziekten men leed. En aan de hand van botten van dieren, etensresten en andere elementen die lange tijd als waardeloos zijn beschouwd, wordt nu stukje bij beetje het agrarische landschap langs de Sarno en het ecosysteem aan de voet van de Vesuvius gereconstrueerd. Alles wordt in het werk gesteld om de toenmalige manier van leven in kaart te brengen.

Stilleven met perziken
Detail.
Fresco in de vierde stijl.
33 x 119 cm.
Pompeji.
Napels, Museo Archeologico Nazionale.

Met behulp van de informatica en strikte onderzoeks- en evaluatiemethoden bestudeert men de relaties tussen de wand- en de vloerdecoraties, en die tussen de aard van de afbeeldingen en de functie van de gedecoreerde vertrekken. Ook analyseert men het verband tussen functie en afmetingen van de vertrekken. Vergelijkende onderzoeken van de materialen die voor allerlei doeleinden werden gebruikt, maken het langzamerhand mogelijk een gedetailleerd beeld te schetsen van de sociaal-economische kenmerken van alle lagen van de bevolking en van de verdeling van de bevolkingsgroepen over de wijken.

Pompeji leren kennen, analyseren en doorgronden, het beschermen als een kwetsbaar lichaam, zijn boodschap overbrengen om zijn voortbestaan te verzekeren – het is één grote daad van liefde, een plicht van de mens van nu, niet alleen tegenover de mens van gisteren maar vooral ook tegenover die van morgen.

VERKLARENDE WOORDENLIJST

Alae: twee tegenover elkaar geplaatste zijvleugels van het atrium.
Atriensis: huisbewaarder en portier.
Bulla: amulet die kinderen om hun hals droegen.
Caldarium: verwarmde ruimte in de thermen voor het warme bad.
Capitolium: aan Jupiter, Juno en Minerva gewijde tempel in de Romeinse steden.
Cardo: straat die in de Romeinse steden van noord naar zuid liep.
Cartibulum: marmeren tafel bij het impluvium.
Caupona: herberg.
Cavea: toeschouwersgedeelte van het amfitheater of het theater.
Cella: ruimte in de tempel waar het beeld van de godheid stond.
Cenaculum: appartementje op een bovenverdieping.
Clientes: personen die op de een of andere manier verplicht waren aan een patriciërsfamilie.
Compluvium: gat in het dak boven het atrium waardoor het regenwater in het impluvium viel.
Decuriones: leden van de senaat van de stad.
Diaeta: vertrek waar men zich aangenaam kon verpozen.
Dominus: heer des huizes.
Doryphoros: Griekse benaming voor een soldaat met een lans.
Euripus: woord van Griekse oorsprong; langwerpige vijver in de tuin.
Exedra: conversatieruimte in de open lucht, met een apsis.
Familia: familieleden en bedienden te zamen, aangevoerd door de dominus.
Fascinum: het boze oog.
Frigidarium: ruimte in de thermen voor het koude bad.
Genius: in ieder mens, in alle dingen, op elke plek en zelfs in alle handelingen aanwezige bovennatuurlijke kracht.
Gens: geslacht.
Groteske: geschilderde decoratieve motieven met kleine fantasiepersonages, ranken en voluten.
Gymnasium: sportzaal.
Impluvium: bassin in het atrium, onder het compluvium, waarin het regenwater werd opgevangen, dat vervolgens werd opgeslagen in een put.
Insula: blok huizen.
Lapilli: poreuze steentjes die bij vulkaanuitbarstingen worden uitgestoten.
Lychnophoroi: bronzen beelden, gebruikt als fakkelstandaard.
Macellum: markt.
Magister: wijkhoofd.
Negociator: onderhandelaar, zakenman.
Negotium: zaken, handel, taken op het burgerlijke of politieke vlak.
Nymfaeum: aan de nimfen gewijde ruimte of grot; monumentale fontein met nissen in de vorm van grotten.
Oecus: ontvangstruimte.
Opus vermiculatum: mozaïek met figuratief of geometrisch motief, vervaardigd van minuscule, kleurige steentjes.
Opus sectile: figuratieve of geometrische decoratie, meestal vervaardigd van stukken verschillend gekleurd marmer.
Oscillum: marmeren masker, dat men ophing en liet bewegen om het fascinum af te wenden.
Otium: elke activiteit anders dan zakelijke of politieke: studie, meditatie, conversatie, schrijven.
Paradeisos: Griekse benaming voor een tuin met wilde dieren.
Parastaten: pilasters, halfzuilen.
Pergula: tussenverdieping of bel-etage.
Pictor imaginarius: gespecialiseerde schilder voor de figuratieve gedeelten.
Pilicrepi: balspelers.
Prodigium: ongewoon, abnormaal verschijnsel; kwaad voorteken.
Proedria: voorste en laagste gedeelte van de cavea in het theater, waar de rijken en de notabelen zaten.
Regio: stadsdeel, wijk.
Scutulatum: plaveisel met perspectivische kubusmotieven.
Stibadium: triclinium in de open lucht.
Suggestum: redenaarstribune.
Surges: aan het Engels ontleende term voor vulkanische gassen van extreem hoge temperatuur.
Taberna: winkel aan de straat, met uitgestalde waren ervoor.
Tablinum: vertrek achter het atrium, op de as van de ingang.
Tabula picta: klein schilderij.
Telamon: architectonisch ornament in de vorm van een mannelijke figuur die een kroonlijst of een travee ondersteunt.
Tepidarium: lauwwarme ruimte in de thermen, waar men zich kon voorbereiden op het temperatuurverschil alvorens het caldarium of het frigidarium binnen te gaan.
Thermopolium: bar waar men warme dranken en hapjes kon nuttigen.
Triclinium: eetruimte met bedden, waar men liggend at.

BIBLIOGRAFIE

Een zeer omvangrijke bibliografie over Pompeji is opgenomen in:

H. B. van der Poel, *Corpus topographicum Pompeianum. Pars IV: Bibliography*, Rome, 1977. Binnenkort verschijnt een door J. de Waele bijgewerkte versie (1971-1992), met een door A. Varone samengestelde thematische bibliografie.

AA. VV., *La regione sotterrata dal Vesuvio. Studi e prospettive*, Napels, 1982.

J.-P. Adam, *Dégradation et restauration de l'architecture pompéienne*, Parijs, 1983.

C. Aziza, *Le rêve sous les ruines*, Parijs, 1992.

A. Barbet, *La peinture murale romaine*, Parijs, 1985.

J.P. Descoeudres (red.), *Pompeii revisited. The Life and the Death of a Roman Town*, Sydney, 1994.

W. Ehrhardt, *Stilgeschichtliche Untersuchungen an römischen Wandmalereien von der späten Republik bis zur Zeit Neros*, Mainz am Rhein, 1987.

R. Étienne, *Het dagelijks leven in Pompeji*, Baarn, 1988.

R. Étienne, *Pompeji, bedolven stad*, Antwerpen, 1993.

L. Franchi dell'Orto (red.), *Ercolano 1738-1988. 250 anni di ricerca archeologica*, Rome, 1993.

L. Franchi dell'Orto, A. Varone (red.), *Rediscovering Pompeii*, Rome, 1990.

E.K. Gazda (red.), *Roman Art in the Private Sphere. New Perspectives on the Architecture and Decor of the Domus, Villa and Insula*, Ann Arbor, 1991.

P. Grimal, *Pompéi, demeures secrètes*, Parijs, 1992.

R. Guerdan, *Pompéi, mort d'une ville*, Parijs, 1973.

W. Jongman, *The Economy and Society of Pompeii*, Amsterdam, 1988.

E. La Rocca, M. en A. de Vos, *Guida archeologica di Pompei*, Milaan, 1981.

P. Laurence, *Roman Pompeii. Space and Society*, Londen en New York, 1994.

R. Ling, *Roman Painting*, Cambridge, 1991.

H. Mielsch, *Die römische Villa: Architektur und Lebensform*, München, 1987.

L. Richardson jr, *Pompeii: an architectural History*, Baltimore-Londen, 1988.

K. Schefold, *Pompejanische Malerei. Sinn und Ideengeschichte*, Bazel, 1952.

A. Wallace-Hadrill, *Houses and Society in Pompeii and Herculaneum*, Princeton, 1994.

P. Zanker, *Pompeji: Stadtbilder als Spiegel von Gesellschaft und Herrschaftsform*, Mainz am Rhein, 1988.

F. Zevi (red.), *Pompei 79. Raccolta di studi per il decimonono centenario dell'eruzione vesuviana*, Napels, 1979.

F. Zevi (red.), *Pompei, I-II*, Napels, 1979.

Grafmonument
Einde van de 1ste eeuw n.C.
Necropolis, Via Nucerina, Pompeji.

Printed in Italy by ILG LITOSTAMPA - Gorle